EEN DAME VAN STAND

Johanne A. van Archem

Een dame van stand

Spiegelserie

 Zomer &Keuning

ISBN 978 90 5977 338 7
NUR 344

Omslagontwerp: Bas Mazur
©2009 Zomer & Keuning familieromans, Kampen
www.spiegelserie.nl

1

LOTTE BERNARDS KEEK OP TOEN ZE DE ZWARE STEM VAN HAAR VADER hoorde roepen onder aan de trap. Ze werd verordonneerd naar beneden te komen, dacht ze bijna spottend. Het was geen vragen, het was commanderen, zoals hij altijd deed. Dat was nu eenmaal zijn manier van doen. Het ging haar de laatste jaren steeds meer storen. Ze had er vaak wat van gezegd; hem proberen uit te leggen dat je niet met een volwassen dochter omging als was het een onmondig kind dat terecht diende te worden gewezen, maar het hielp niet. Vader bleef de bullebak. Zowel voor zijn dochter, het personeel en zelfs voor zijn vrouw. Het beste was: even melden dat je hem gehoord had en dan verder gaan met je eigen zaken. Met een zucht stond ze op en riep dat ze er aan kwam. Even later daalde ze de trap af. Lang voor een vrouw, slank en toch niet mager. Ravenzwart haar in weelderige krullen tot op haar schouders, opvallende blauwe ogen. Als ze van huis ging droeg ze het haar opgestoken, thuis meestal loshangend. Hoe dan ook, een heel mooie jonge vrouw en dat was bekend in de stad.

Haar vader stond ongeduldig te wachten in de grote hal, de duimen achter het zwartlakense vest van zijn driedelig kostuum. Een ontzagwekkende figuur, schoot het door Lotte heen. Zo was hij ook in de rechtbank als hij achter het groene laken zat in zijn zwarte toga met witte bef; de oppermachtige rechter die een verdachte voor jaren kon opsluiten. Een man waar naar opgezien werd; hij boezemde angst in.

Rechter Bernards behoorde tot de notabelen van de stad Almelo. Hij en zijn deftige vrouw woonden in een grote villa aan de sfeervolle laan die naar de stad leidde.

Moeder was een echt deftige dame, dacht Lotte toen ze langzaam de treden afliep. Moeder was een jonkvrouw, ze was geboren in Den

Haag. Lottes grootmoeder was zelfs hofdame geweest bij de koningin en dat was een gegeven dat mevrouw Bernards bij een eerste kennismaking met een onbekende meteen liet doorschemeren. Haar vader was geboren in Aerdenhout, vertelde hij meer dan eens. Een van de deftigste plaatsen in Nederland, voegde hij er aan toe. Daar woonden bijna geen arbeiders. Zijn vader was een rijke landeigenaar geweest, hoewel hij jong was overleden.

Aan arbeiders had de rechter een hartgrondige hekel en Lotte had zich meer dan eens afgevraagd waar die antipathie vandaan kwam. Moeder gaf geen antwoord als Lotte eens vroeg hoe zij elkaar vroeger hadden leren kennen.

De huishoudster Annie, een struise al iets oudere vrouw uit Almelo, had haar al jaren geleden verteld dat haar ouders elkaar niet hadden leren kennen: het huwelijk was gearrangeerd. Zo ging dat in hun kringen: geld hoorde bij geld, oude families bij oude families. 'Ik vraag me af of ze elkaar wel eens gesproken hebben voor ze getrouwd zijn,' waagde de huishoudster toen te zeggen.

Nu, jaren later, vroeg Lotte zich dat ook af. Het huwelijk van haar ouders was op zijn minst gezegd merkwaardig.

Moeder was vaak en langdurig weg van huis, dat was al zo lang Lotte zich kon herinneren. Ze hield niet van Twente en al helemaal niet van het textielstadje Almelo. Ze vertoefde liever in het vertrouwde Den Haag, zei ze en ze was vaak in kuuroorden te vinden, in binnen- of buitenland. Haar gezondheid was niet sterk, gaf ze als reden op.

Ze trok haar neus op voor de textielfabrieken en het textielvolk. Zelfs de textielfabrikanten telden in haar ogen amper mee. Nieuw geld, snel rijk geworden volk dat van gekheid niet wist wat ze met de centen moest doen, oordeelde ze hardvochtig. Nee, dan zij. Zij stamde van een oude adellijke familie, honderden jaren geleden al behorend tot de upper ten van de toenmalige republiek der Nederlanden. 'Dat merkte je ook,' zei ze eens tegen Lotte.

Waaraan dan, vroeg die zich af.

Mevrouw Bernards had alle uitnodigingen van bijeenkomsten van deftige dames afgeslagen toen ze pas in Almelo kwam wonen. Zij ging niet met iedereen om, zei ze toen nuffig. Omhooggevallen volk dat plotseling geld in de schoot geworpen kreeg door een nieuwe vinding. Die maakte dat die lui fabrieken konden stichten. Sommige van hen spraken niet eens fatsoenlijk Nederlands.

Als kind werd het Lotte verboden met bepaalde meisjes om te gaan; dochters van arbeiders waren helemaal uit den boze.

Ze ging al op jeugdige leeftijd naar een internaat voor meisjes uit de hoogste kringen in België. Haar Frans was beter dan haar Nederlands, verkondigde haar moeder meer dan eens. Lotte haalde daar de schouders over op. Het was niet waar.

Toen ze achttien jaar werd, besefte ze dat ze werd klaargestoomd voor een huwelijk op stand. Vooral haar vader had graag gezien dat ze jong was getrouwd. Lotte had soms het gevoel gehad dat ze de deur werd uitgekeken door haar vader.

Er was echter geen jongeman langsgekomen voor wie Lotte iets van gevoelens kon opbrengen. Integendeel, ze vond de meesten afschuwelijk. Rijkeluiszoontjes die meenden dat ze beter waren dan anderen omdat ze toevallig in de juiste wieg gelegen hadden.

Haar vader was teleurgesteld toen ze niet bereid was een van hen als verloofde te kiezen. 'Er zijn zeker drie kandidaten, die belangstelling hebben voor jou. De juiste kandidaten, dat zeg ik met nadruk,' zei hij op zijn norse manier.

Lotte knikte rustig. 'Het spijt me vader, het antwoord is 'nee'. Ik houd niet van die oppervlakkige, pretmakende leeghoofden. Ik voel nu al minachting, laat staan dat ik er mee getrouwd zou zijn. Dat wordt moord en doodslag.'

'Kind, gebruik je verstand, wat wil je dan? Een fabrieksarbeider?'

Ze keek haar vader zwijgend aan. 'Er zijn meer soorten mannen dan alleen maar arbeiders en leeghoofden,' zei ze toen. 'Dat mag ik toch hopen, nietwaar?'

Later werd hij nog vervelender in zijn manier van doen. Pas toen

7

Lotte geprikkeld aanbood om het huis te verlaten, bond hij in. De schande dat zijn dochter ergens een baantje zou aannemen scheen hij niet te willen riskeren.

Moeder vond het beter haar een paar jaar te laten 'rondkijken', zoals zij het noemde. Dan werd ze wel wijzer; dan zag ze wel in wat en waar haar plaats was.

Moeder had geen haast om haar uit te huwelijken. Ze zou trouwens graag zien dat haar dochter met een buitenlander trouwde, zei ze eens. Een Amerikaan van goede afkomst, een Duitser uit de juiste familie... Dat soort mannen stelde juist eisen aan een goede afkomst. Een dochter van een jonkvrouw was bij dat soort mannen hoog in aanzien.

Maar Lotte had geen belangstelling voor Duitsers of Amerikanen. Inmiddels was ze ruim in de twintig. Oud voor een bruid van stand, zei haar vader soms. Moeder zweeg dan in alle toonaarden.

Vader wees haar meer dan eens op een jongeman uit de Twentse elitekringen, die naar zijn idee een goede echtgenoot zou kunnen worden, zoals hij het noemde.

'Wat is dat, een goede echtgenoot?' wilde ze schamper weten.

Dat legde haar vader zonder aarzelen uit. Een man met een hoge positie, het liefst in dienst van een ministerie. Een topambtenaar of een diplomaat en bij voorkeur met een dubbele naam. Lotte was de dochter van een adellijke dame, dat telde mee. Maar die kandidaten waren niet dik bezaaid in Almelo en omgeving.

'Gewoon een aardige vent, met wie het prettig huizen is, telt dat niet mee?' wilde Lotte weten.

'Waar heeft ze dat ordinaire van?' vroeg moeder zich soms hautain af.

Lotte zou niet snel die bijna woedende blik van haar vader, die daarop volgde, vergeten. Maar toen merkte de rechter ineens op: 'Ze stond nota bene vorige week in de Grotestraat in Almelo te praten met een arbeidersvrouw. Dat vertelde de dokter me van de week. Die had het gezien met eigen ogen.'

8

Hij had het Lotte verboden. Zij gingen niet met gewoon fabrieksvolk om. Die lui stonken en wasten zich amper en hadden geen enkele educatie genoten, laat staan dat er gesproken mocht worden over beschaving. Sommigen konden amper lezen en schrijven en hun ouwelui konden het helemaal niet, zei hij met afschuw. Lotte moest wel beseffen dat ze een indrukwekkende stamboom had, die terugging tot ver in de middeleeuwen. Adel, ja... Adel schiep verplichtingen.

Lotte had de boosheid door zich heen voelen slaan. Ja, ze stond met een gewone vrouw te praten, haar schooljuffrouw van vroeger. Een vrouw, waar ze veel respect voor voelde.

Kil had ze gevraagd of haar deftige en van hun stand bewuste ouders wel beseften dat oude adel betekende dat er ook misdadigers onder haar voorouders zaten. 'Alle oude adel was alleen maar rijk en machtig geworden over de ruggen van gewone mensen heen, door misdaad, uitbuiting en geweld. Dat waren de woorden van een oude paus uit de middeleeuwen,' voegde ze er aan toe.

Dat had Lotte geleerd tijdens de geschiedenislessen van een tamelijk rebelse lerares op het internaat. De meisjes moesten niet denken dat ze meer waren dan andere mensen, ze hadden in de juiste wieg gelegen en het was niet hun verdienste dat ze daar in terecht waren gekomen. Bij Lotte waren die woorden blijven hangen tot in lengte van jaren.

Vader was woedend geworden toen ze die woorden een keer hardop uitsprak. Hij was trots op de adellijke titel van zijn vrouw, dat had Lotte al in de gaten toen ze nog heel jong was. Status en geld waren alles voor hem.

Die gedachten schoten door haar hoofd toen ze de laatste trede afstapte van de dure eikenhouten trap. 'Is er iets?' vroeg ze rustig.

Hendrikus Johannes Bernards liet zijn ogen glijden over de jonge vrouw. Uitgesproken elegant, dacht hij, zelfs in een simpele pullover en rok. Hoe was het eigenlijk mogelijk? Ja, een dochter waar je mee te voorschijn kon komen, had hij al meer dan eens gehoord. Ze moesten eens weten, al die lui die zo over haar spraken. Gemakkelijk was ze niet in de omgang en daar moest hij niet verwonderd over zijn. Bovendien had ze niet veel goeds opgestoken in dat internaat in België, zeker niet wat betreft 'noblesse oblige'.

'Je moeder is ziek,' zei hij kort en met een gezicht dat toonde dat hij het niet geloofde. 'Ze gaat vanavond niet mee naar de soiree.'

Lotte knikte kort. 'Ik blijf wel bij haar,' bood ze aan.

Moeder was vaker ziek en misselijk. Als ze geen zin had in bepaalde bijeenkomsten, greep ze snel terug op een van haar vele kwalen.

'Vanavond is een belangrijke avond. Er hangt veel vanaf,' zei haar vader met de kin omhoog.

Ze knikte zonder belangstelling. Er hing altijd veel vanaf, volgens haar vader.

'Ik word waarschijnlijk gevraagd om te reflecteren op de functie van rechter bij de Hoge Raad. De procureur-generaal van de Hoge Raad is in Almelo en zal vanavond aanwezig zijn. Hij is een vriend van een van de fabrikanten. Je begrijpt wat dat betekent? De kans is groot dat ik binnen afzienbare tijd benoemd zal worden in Den Haag.'

Ze knikte kort. Die opmerking kende ze ook al langere tijd.

'Houdt dat in dat we naar Den Haag verhuizen?' Haar gezicht stond strak, bijna onvriendelijk. Lotte had een uitgesproken hekel aan de stad waar de regering en de vele ministeries huisden.

'Dat is zeer wel mogelijk,' antwoordde hij plechtig.

Ze draaide zich om en wilde weer naar boven lopen. Ja, het zou een enorme promotie zijn voor haar vader, eentje waar hij al jaren naar uitkeek. Waarom zou het deze keer wel lukken en al die vorige keren niet? Eerst maar eens afwachten of het werkelijk zover kwam. Maar moeder zou helemaal lyrisch zijn, die wilde al jaren terug naar Den Haag, als je haar moest geloven.

Vreemd, dat ze nu niet mee wilde naar die soiree. Ze zou moeten stralen als de echtgenote van de aanstaande rechter bij de Hoge Raad. Dat gedrag had ze in het verleden vaker vertoond.

Lotte kreeg de neiging te zuchten.

'Ik eet dus vroeg, prompt halfzes,' hoorde ze achter haar rug. Ze knikte opnieuw. 'Moeder en ik eten wel later,' zei ze toen rustig, 'dan kunt u rustig uw gang gaan.'

Ze zou nooit jij en jou zeggen tegen haar ouders zoals andere kinderen dat deden. Er was zo veel wat in dit huishouden anders liep dan in andere huishoudens.

Het protocol was streng, er werd niet afgeweken van de normale gang van zaken. Diner om prompt halfzeven, opgediend door huishoudelijk personeel. Moeder belde met een zilveren tafelbel voor de volgende ronde, dacht Lotte soms spottend.

Vanavond zou het anders gaan. Gewoon eten in de keuken met de huishoudster. Vanavond had ze de handen vrij en ze kon snakken naar zulke momenten, ook al zou moeder pontificaal in bed bediend willen worden. Dat deed ze altijd als ze weer een 'ziekte' demonstreerde. Nergens waren ouders zo precies en gesteld op omgangvormen als de hare. Zelfs de weinige vriendinnen – allen van hoge afkomst, daar zorgde vader wel voor – voelden zich niet thuis bij de schatrijke familie Bernards. 'Te veel poeha,' oordeelde een van hen.

Toen een van de hooggeboren dames het in haar hoofd kreeg om zomaar ergens te gaan werken als verpleegster, werd de hele familie geboycot. 'Omhooggevallen plebs,' oordeelde haar vader. 'Dat is beneden ons niveau.'

Lotte had toen een van haar weinige woedeaanvallen gekregen. 'Zo, omhooggevallen plebs,' zei ze nauw bedwongen. 'Het wordt tijd dat ik me eens verdiep in de voorgeschiedenis van uw geslacht, vader. Eens kijken wat daar allemaal voor omhooggevallen plebs in zit.'

Haar vader had gezwegen met stijf opeengeknepen lippen, maar een halfuur later had hij haar een rol papieren voor de neus gelegd. 'Mijn familiestamboom,' had hij kortaf gezegd. 'Dan zul je zien dat wij van een rijke patriciërsfamilie afstammen. Voor jou is dat van nul en generlei waarde, maar voor mij heeft dat iets te betekenen.'

Een beetje nieuwsgierig had ze de rol aangepakt. Zou hier in staan waar haar vader was geboren?

Ze had hem opengevouwen en begon de ingewikkelde stamboom, gedrukt op exclusief duur papier, te bekijken. Na een tijdje was ze teleurgesteld gestopt en rolde de stijve papieren weer in elkaar tot een grote bundel.

Een familie Bernards, dat klopte wel, rijke kooplui uit de zeventiende eeuw met veel aandelen in de VOC, de Verenigde Oost-Indische Compagnie. Dure grachtenpanden in Amsterdam en luxueuze landhuizen in Utrecht, aan de Vecht. Maar in die lange stamboom van indrukwekkende namen vond ze niet de naam van haar vader in drukinkt vermeld. Het hield op met de namen van twee mannen en twee vrouwen, als laatste leden van die oude familie, geboren in het midden van de vorige eeuw.

De naam van haar vader was er met een keurige vulpen bijgeschreven in vaders handschrift. Lotte herkende het zonder moeite. Hij stond met een getekende lijn naar zijn vader Alexander Bernards, overleden in 1890. Dat was jaren voor vader getrouwd was met zijn jonkvrouw.

Vader had zelf zijn naam ingevuld, waarom? Zijn ouders waren vroeg overleden, zei hij altijd. Dat zou ongetwijfeld kloppen. Maar bij Alexander was geen echtgenote vermeld. Waarom niet?

Vreemd, dacht ze. Een heel mooie stamboom, op duur papier in een prachtige drukletter gemaakt met als laatst vermelde naam grootvader Alexander als vrijgezel, net als zijn broer Jean Frederique. Hoe oud was dit gedrukte exemplaar?

Ze keek naar de datum van vervaardigen: 1920 zag ze tot haar verbazing. Raar, toen was vader al getrouwd en zelfs Lotte was al geboren. Als de stamboom juist was weergegeven was het geslacht uitgestorven. Waarom stonden de gegevens van haar grootouders, hun partners en hun kinderen er niet op? Er was ruimte genoeg geweest in de vakjes. Waarom stond er niet trots vermeld dat er een echte jonkvrouw in de familie was getrouwd?

Dat was niet bijzonder, zag ze. Het wemelde van freules en baronessen in de familie Bernards.

Het had haar nieuwsgierigheid gewekt en ze was op zoek gegaan naar een trouwboekje van haar ouders, maar dat was niet in dit huis aanwezig, kreeg ze te horen. Het lag bij de papieren in een bankkluis.

Nogal overdreven, vond Lotte, maar ze zweeg. Ze vroeg ook niet naar die grootvader Alexander en zijn onbekende echtgenote. Ergens had ze het gevoel dat er iets niet klopte aan die stamboom. Haar weinige vriendinnen hadden haar verteld dat er in de stad wel vaker werd gepraat over de familie Bernards en haar afstamming. Daar hadden ze wel grote verhalen over, maar niemand kende enige familie van de rechter en zijn vrouw. Er werden nooit mensen gesignaleerd die op bezoek waren in de grote villa.

Lotte had toegegeven dat ze haar grootouders niet kende; niet van haar vaders kant en ook niet van moeders kant. Allemaal blijkbaar jong overleden.

'Kind, je bent toch niet geadopteerd?' had een van hen een tijd geleden gevraagd. 'Je bent zo anders dan die ouwelui van je. Je lijkt niet eens op hen.'

Ze had zichzelf eens goed bekeken in de spiegel. Ja, het klopte, moeder was blond en frêle en daar was ze trots op. Vader was fors en donkerblond. Lotte had bijna zwart haar en blauwe ogen. Haar ouders hadden allebei grijze ogen.

Dat zei niet alles, vond ze. Ze had vaker gezien dat ouders een andere haarkleur en kleur van ogen hadden dan hun kinderen. Het lag eraan hoe de grootouders eruit hadden gezien en die had ze nooit gezien. Nu ze er over nadacht: er waren ook geen foto's in huis van vaders kant van de familie.

Lotte had dat altijd nog eens willen vragen, maar om de een of andere reden zweeg ze er over.

Lotte zuchtte toen ze achter haar vader aanliep naar de salon. Bij anderen heette dat de huiskamer maar bij hen was het de salon.

Ingericht met meubels die uit de duurste winkels van het land kwamen. Moeder zou nooit iets bij een meubelzaak in deze regio kopen. Vader droeg zijn dure uitgaanskostuum met hoge hoed. Hij knikte kortaf naar zijn vrouw, die in een crapaud bij het vuur zat. 'Het wordt laat,' zei hij kortaf.

Het werd altijd laat, dacht Lotte. Die mannenbroeders kletsen wat met elkaar af in die rokerige herenkamers van de sociëteit.

Mevrouw Bernards knikte met een lijdzaam gezicht. 'Nee, ze ging weldra naar bed, ze had een zware hoofdpijn en ze was erg benauwd', klaagde ze.

Rechter Bernards trok zijn schouders op en draaide zich om. Hij verliet het vertrek zonder een verdere blik op zijn echtgenote en op zijn dochter.

'Ik ben echt ziek,' steunde Lottes moeder.

Lotte knikte. 'Moeder, het is beter dat u naar bed gaat. Ik zal straks wel een kopje thee naar boven brengen,' suste ze.

Moeder kon het niet laten. 'Daar hebben we personeel voor,' zei ze moe. Lotte bekeek haar moeder. Ze zag er niet goed uit, dacht ze. Ze overdreef dit keer niet, ze was echt ziek.

Misschien moest de dokter er eens naar kijken. Moeder had altijd wel iets onder de leden, maar het was altijd verrassend snel weer over als er iets stond te gebeuren wat ze zelf leuk en interessant vond.

Ze kon een geweldig misbaar maken over niets. Nu bleef dat achterwege. Misschien wel een aanwijzing dat er werkelijk iets aan de hand was. Lotte liep naar de keuken en vroeg om een potje thee. Zomaar een kopje thee aanreiken, dat kon niet bij mevrouw Bernards en haar man. Er was een heel ceremonieel voor een eenvoudig kopje thee of koffie. Op een dienblad met een kanten kleedje, een porseleinen kopje met het oortje rechts, een schaaltje met twee koekjes, een potje thee, een zilveren lepeltje op het schoteltje, recht onder het oortje van de dure Engelse kop.

De huishoudster had het geheel al klaar staan. 'Ik heb rijst gekookt,' fluisterde ze nog. 'Met tutti frutti en gehaktballetjes. Uw moeder wil geen eten hebben, dat gaf ze vanmiddag al aan. Daarom heb ik uw lievelingsportie gemaakt.'

'Ik kom er zo aan,' siste Lotte snel terug en liep met het dienblad terug naar de salon. Zelfs hier zou commentaar op komen, besefte ze. Ze was de dochter des huizes en niet iemand van het personeel. Maar moeder zei niets en nam het kopje zwijgend aan.

Nee, geen koekje, te misselijk...

Ze was echt ziek, dacht Lotte bezorgd. Had vader dat niet gezien? Nee, die zag niets, die zag alleen maar de buitenkant van zijn bestaan. De rijkdom, de deftige manieren, de dure entourage.

Lotte hielp haar moeder naar boven, de brede trap op naar de duur ingerichte slaapkamer. De echtelieden sliepen niet bij elkaar in hetzelfde bed, zelfs niet in dezelfde kamer.

Lotte had zich daar nooit over verbaasd, ze wist niet anders. Pas later, toen ze soms bij vriendinnetjes over de vloer kwam en daar merkte dat er maar een ouderlijke slaapkamer was, begon ze zich af te vragen wat er met dat huwelijk van haar ouders aan de hand was.

Geen intimiteit, geen blijken van genegenheid, geen blikken van verstandhouding of liefde, zelfs niet van kameraadschappelijkheid.

Twee mensen onder een dak, die ooit aan elkaar gekoppeld waren door wederzijdse families en belangen, en de weg naar elkaar nooit gevonden hadden.

'Liefde', ze kenden het woord niet, dacht Lotte later toen ze een jaar of twintig was. Ze had zelfs het gevoel dat haar ouders elkaar niet eens mochten.

Ze had zich er nooit mee bemoeid, nooit vragen gesteld. Dat deed je niet bij haar ouders, zei ze eens tegen een vriendin.

'Lotte, gedraag je niet als een dienstmeid,' ademde haar moeder moeilijk toen ze zich in bed liet neervlijen.

'Moeder, wees blij dat ik je niet aan je lot overlaat. Wat is er plezieriger dan dat iemand van je eigen gezin zich om je bekommert? Personeel heeft andere taken. Wat kan ik nog doen? Wil je een beschuitje, een beker melk?'

De deftige vrouw, die zelfs in haar bed zijden nachtkleding droeg schudde het hoofd. Nee, ze wilde niets, alleen maar slapen.

'Ik kom straks nog even kijken,' beloofde Lotte en streek ondanks alles even over haar moeders haar.

Ze voelde iets van dankbaarheid in die blik van haar moeder. Waarom? Het is toch heel gewoon en niets bijzonders?

Nee, dacht Lotte toen ze zachtjes naar de trap liep. Het is voor moeder heel bijzonder dat er belangstelling is voor haarzelf, niet voor de deftige jonkvrouw of voor de rijke vrouw van de rechter, maar gewoon menselijke aandacht.

Ja, het is een heel vreemd huwelijk en vooral een heel koud huwelijk, dacht ze toen ze de trap afliep naar de keuken om met de huishoudster Annie een simpele avondmaaltijd naar binnen te werken.

2

LOTTE SCHOOF HAAR BORD ACHTERUIT EN LEUNDE ACHTEROVER.
De huishoudster van de familie, Annie Letteboer, keek opzettelijk langs de jonge vrouw heen. Ze zag in een flits dat de vork en het mes keurig over elkaar lagen op het platte bord, de lepel ondersteboven ernaast.

Ja, manieren had de jonge juffrouw, die hadden ze haar wel bijgebracht. Annie voelde zich er altijd lomp en boers bij en toch, de juffrouw was heel anders dan haar ouders.

Annie begreep het eigenlijk niet hoe het mogelijk was dat een dochter zo anders kon zijn dan die bekakte ouders van haar, die zich verbeeldden dat ze nog meer waren dan de schatrijke fabrikanten van de textielfabrieken in Almelo.

Ze hadden de juffrouw nooit iets anders geleerd dan op anderen neerzien. Nee, Annie, de juffrouw heeft op een kostschool gezeten en daar heeft ze andere denkbeelden leren kennen, bedacht ze.

Toen Annie in dienst was gekomen, vijftien jaar geleden, had ze nog even gedacht: dat is niet voor lange jaren. Zo gauw ik iets anders vind, ben ik vertrokken. Dit zijn geen lui waar het prettig voor werken is.

Maar zelfs toen had ze al gemerkt dat de jonge juffrouw anders was. Ze kon niet eens precies zeggen hoe anders, maar ze was veel toegankelijker en vriendelijker dan die ouwelui van haar.

Annie was gebleven al die jaren. Het werk was plezierig, de mensen niet. Maar daar had ze weinig last van, die waren weg of onzichtbaar. Een paar keer per dag lieten ze zich zien en voor de rest hadden ze veel te veel verbeelding om zich te bekommeren om huishoudelijk personeel...

Toen Lotte als jonge vrouw terugkeerde van dat internaat was ze sterk veranderd. Voor die tijd was ze nog een kind, ze kwam terug als een jonge vrouw die niet van kritiek was gespeend.

Soms was het zelfs plezierig in huis. Lotte nam een heleboel ergernis weg, ze nam het ook vaak voor het personeel op.

De laatste jaren liepen de dienstmeisjes ook niet zo snel meer weg. Juffrouw Lotte was veel te deftig natuurlijk, maar achter die deftigheid stak wel een mens met oog voor anderen.

Daar twijfelde Annie geregeld aan bij de ouwelui, zeker bij de vader. Het was dat hij zelden thuis was en vaak op reis, anders had Annie haar mooie positie als huishoudster allang opgegeven.

Met die man kon je eigenlijk geen gedoe hebben. Een eersteklas etterbak was het. Annie wist dat de mensen van de rechtbank stuk voor stuk een bloedhekel aan hem hadden. Haar oudste broer werkte bij de rechtbank als parketwachter.

De arrogantie ten top, zelfs tegenover zijn mederechters gedroeg hij zich alsof hij mijlenver boven hen verheven was. Maar ze zweeg erover. Het waren haar aangelegenheden niet en die rechters waren allemaal van mening dat zij ver boven anderen verheven waren, had haar broer meer dan eens opgemerkt.

Nog steeds zuchtte ze opgelucht als ze 's morgens al bijtijds de deur hoorde dichtvallen achter de rechter. Hij werkte ook veel thuis en dan mocht hij niet gestoord worden. Nou, alsof iemand daar behoefte aan had.

Mevrouw was ook een geval apart, maar dat was in ieder geval een dame. Zij zou zich niet verlagen tot woedeaanvallen en ordinaire scheldpartijen, zoals de rechter soms deed als hem iets niet aanstond. Ze zat trouwens behoorlijk onder de plak bij haar man, had Annie al vaak gemerkt. Daarom was ze natuurlijk ook zo vaak weg.

'Is mevrouw werkelijk ziek?' vroeg ze ineens. Die aanvallen van ziekte van mevrouw kwamen altijd zeer gelegen, voor mevrouw dan. Geen zin in een afspraak: hoofdpijn. Een chique soiree waar ze zich te goed voor voelde: ze was niet in orde.

Mevrouw had een teer gestel, werd er gegniffeld in de stad. Dat kon ook niet anders met die deftige lui, ze trouwden allemaal onder elkaar en dat moest leiden tot inteelt.

Dat zei Annies moeder vroeger al, en die had ook al gediend bij de fabrikanten in hun deftige villa's. Zeiden ze in de stad niet dat meneer en mevrouw ook nog redelijk naaste familie van elkaar moesten zijn? Het zou niemand verbazen als ze neef en nicht waren. Annie was tevreden met haar baan. Een kleine huishouding, het echtpaar was vaak weg. Voor het zware werk waren er twee dienstmeisjes. Ze had een luizenleven hier, als je het echtpaar even buiten beschouwing liet.

Het verdienen was niet bijster goed, maar dat was het nergens. In de fabriek verdiende een jonge vrouw ook het zout in de pap niet, als dienstbode al helemaal niet.

Het werk werd schaars in het hele land. Je hoorde telkens weer van grote groepen mensen die ontslag kregen en er waren duizenden werklozen. Het werden er elke week meer.

Jongelui stelden de trouwdag al uit omdat ze de toekomst somber inzagen. Je kon toch niet trouwen op die paar centen die de overheid als uitkering verstrekte. Dat werd schreeuwende armoede.

Annie was zuinig op haar werk. Ze zou het niet op de tocht zetten om die hufter van een rechter eens de waarheid te vertellen, al zou ze het soms nog zo graag willen doen. Veel keuze in werk had ze niet. Ze kon ook naar de fabriek, met al dat stof dat maakte dat ze geen hand voor ogen kon zien, als ze daar nog terecht kon. Die kans was niet groot. Er waren al loonsverlagingen in de textielfabrieken geweest en er werd gevreesd voor ontslagen. De jongelui en de vrijgezellen moesten altijd als eersten opstappen.

Dan was het hier beter, ondanks de woedeaanvallen van de rechter. De aanwezigheid van juffrouw Lotte maakte goed wat Annie verder tegenstond aan die baan. Ze zag Lotte knikken. Ja, het lijkt er nu op dat moeder werkelijk iets onder de leden heeft, dacht de jonge vrouw. Ze stond op en kondigde aan dat ze even wilde kijken. Als het niet beter werd moest morgen de dokter maar even komen.

Annie kreeg de neiging te snuiven toen Lotte naar de trap liep. De dokter, die kwakzalver voor die rijke lui. Die kon nog geen beenbreuk van een blindedarmontsteking onderscheiden. Als je nog niet ziek was, dan werd je het wel van zijn behandeling.

Maar hij kwam uit hun kringen en zij waren er tevreden mee. Hij was ook uitstekend geschikt om al die rijke vrouwen een beetje te troosten in hun zinloze bestaan. Sommigen fluisterden dat het niet bij troosten alleen bleef.

'Het is maar goed dat we niet weten wat er zich allemaal achter die deftige gevels afspeelt,' plachtte haar moeder te zeggen. Ach, haar moeder, ze was al vijf jaar geleden overleden.

Annie voelde de boosheid door zich heen slaan. Nee, ze mocht niet naar de begrafenis, ze kon niet gemist worden vond de rechter. Belachelijk, meneer en mevrouw waren er niet eens, die waren een dag voor de begrafenis vertrokken, ieder een kant op.

Lotte had toen beslist dat Annie wel ging. 'Natuurlijk ga je naar de begrafenis en ik wil je niet terugzien voor morgenochtend acht uur, begrepen?' had ze gezegd. Annie was ervan overtuigd dat Lotte het niet eens verteld had aan haar ouders.

Ze bleef nog even zitten, maar stond toen op en begon de borden en lepels weg te ruimen.

Nog een uurtje, dan ging ze naar huis, naar haar vader, die naar haar uitkeek en haar jongste broer die de hele dag hard had gewerkt in de textielfabriek. Daar was het heel wat prettiger toeven. Stel je voor dat ze hier in huis zou wonen. Nou, dan was ze, ondanks de juffrouw, nooit vijftien jaar gebleven. Het was een beetje vreemd. Ieder zichzelf respecterend deftige familie had inwonend personeel. Deze mensen niet... Maar Annie was er blij om.

De volgende morgen was Lottes moeder niet beter. En dat deed de jonge vrouw besluiten de dokter te roepen.

De rechter vond het onzin, hij kende zijn vrouw langer dan vandaag, zei hij botweg. Aanstellerij, meer was het niet.

'Dat ben ik niet met u eens,' zei Lotte vastbesloten. 'U weet net zo goed als ik dat moeder na zo'n avondje hoofdpijn de volgende morgen weer piekfijn in orde is en staat te trappelen om op stap te gaan.

Ze zou vandaag naar Enschede gaan met de trein, maar ze heeft vanmorgen al te kennen gegeven dat ze thuisblijft en dat ze ook nog in bed blijft. Dat is niet haar stijl.'

Bernards haalde de schouders op. 'Je doet maar wat je niet laten kunt. Ik vind het grote onzin.'

Hij keek haar stroef aan toen ze opstond om een kopje thee in te schenken. 'Er komt vanavond bezoek.'

Ze knikte kort.

'Voor jou.'

'Voor mij?' Ze keek argwanend over haar schouder.

'Ja, een zeer geschikte jongeman...'

Ze zweeg. Het had toch geen zin om tegen te sputteren. Er was blijkbaar een nieuwe kandidaat op het toneel verschenen. Een of andere zoon van een textielfabrikant die net afgestudeerd was, of een zoon van een hoge ambtenaar die toevallig in deze contreien verbleef. Vader wilde haar wel opvallend graag het huwelijksbootje in drukken.

'Hoe was de soiree?' vroeg ze poeslief. 'Zit er een verhuizing in?'

Bernards keek haar boos aan. 'Niet zo snel, jongedame. Zo snel wordt het niet geregeld, maar houd er rekening mee dat wij volgend jaar om deze tijd niet meer in Almelo wonen. Dat wil zeggen, je moeder en ik. Ik verwacht dat jij tegen die tijd je eigen huishouding zult hebben.'

Ze knikte kort en gaf geen commentaar. Ze had nooit begrepen waarom haar vader haar zo graag aan een man wilde koppelen.

'Als je nu weer dwars gaat liggen, kon ik wel eens anders reageren dan de laatste keer,' hoorde ze achter haar rug. 'Het lijkt mij helemaal niet onmogelijk dat we morgen een verloving bekendmaken.'

Ze keek met opgetrokken wenkbrauwen achterom naar haar vader en zei geen woord. Hij had wel haast om haar te lozen, dacht ze. Tja, een dienstmeid kon je ontslaan, maar je eigen dochter...

De man draaide zich ineens andersom en zweeg met een boze uitdrukking op zijn gezicht. Het zou hem zeer goed uitkomen als er nu bekend kon worden gemaakt dat de enige dochter van rechter Bernards en jonkvrouw De l'Eau tot Lichtenstein zich verloofd had met een jongeman uit een van de vooraanstaande families van Almelo.

Ja, hij moest er zelfs stevig op aandringen. Als die verloving er kwam dan kon alles nog meevallen of een beetje worden gecamoufleerd. Het was gisteren een regelrechte ramp geworden. Vertrek naar de Hoge Raad was misschien nu onmogelijk geworden. Hij had ook niet zo stom moeten zijn om die fabrikant aan te halen. Die vent had rondverteld dat hij hier in dit huis was geweest om te overleggen. Dat was door de verkeerde oren opgevangen. Dat kon gevolgen hebben die hij niet kon overzien. Daarom had hij zich gisteren op de achtergrond gehouden.

Lotte merkte de agitatie van haar vader niet en verborg een stiekeme glimlach. De laatste keer kwam een jongeman zijn opwachting maken met een air alsof hij haar een grote dienst bewees. Het ging de hele avond alleen maar over zichzelf en hoe goed hij was. Hoe hij had geleefd en was afgestudeerd na een dolle tijd als student. Hoeveel jonge vrouwen hij al had veroverd en had laten vallen, want ze waren wel goed voor een avontuurtje, maar niet om mee te trouwen. Dat moest een vrouw van de juiste familie zijn. Hij zou in de voetsporen van zijn vader treden als directeur van een grote metaalfabriek in Hengelo en daar paste wel een halve jonkvrouw bij, zei hij ongegeneerd.

Lotte had zich na een uur verontschuldigd en was vertrokken naar haar kamer met een knallende hoofdpijn, verklaarde ze met een vriendelijke glimlach. Nee, een andere afspraak liever niet. Misschien later.

Ze leek wat dat betreft goed op haar moeder, dacht ze zelf. Die had dat soort excuses ook ruim voorhanden.

Ze had nooit weer iets van de man gehoord. Die had waarschijnlijk de hint begrepen.

Haar vader was woedend geweest. 'Je begint met dezelfde goedkope smoesjes als je moeder,' had hij haar toegebeten. 'Nog één keer jongedame en ik verlies mijn geduld.'

Ze had toen alleen maar geknikt en opgemerkt dat ze liever ongehuwd bleef dan met zo'n griezel te trouwen.

'Dan mag je zelf de kost gaan verdienen,' had hij haar beloofd.

'Daar heb ik niets op tegen, integendeel mag ik wel zeggen.'

Hij had gezwegen. Ze was in staat haar milieu te verloochenen en zich te verlagen tot een ordinaire verkoopjuffrouw in een kledingzaak of, de hemel verhoedde het, tot verpleegster zoals die vrijgevochten vriendin van haar.

Daar moest hij eigenlijk ook niet verbaasd over zijn.

'Vanavond komt de zoon van de fabrikant Van Weernink. Hij is de zoon van de rijkste fabrikant van Almelo. Ik wil je dringend aanraden het deze keer niet te bederven door een dwarse houding, en gewillig mee te werken aan een goede toekomst voor jou en voor onze familie.'

Hij praatte tegen haar rug, zag hij. Met grote boze stappen liep hij naar de hal en riep om zijn jas en hoed.

Het zou hem misschien niet eens meer lukken om hogerop te komen, dacht hij pessimistisch. Zijn collega's hadden gisteren al zo vreemd gekeken toen hij binnenkwam. Net alsof ze hem niet meer verwachtten.

Gisteravond was een zware mislukking geweest en het gezicht van het meisje beloofde niet veel goeds voor vanavond.

Dat kind had geen goede opleiding gehad op die deftige school in België. Het had handen vol geld gekost en ze hadden een rebel teruggekregen in plaats van 'dat zich goed van haar stand bewuste meisje dat er naar toe was gestuurd.' Nee, het ging de laatste dagen niet zoals hij zich wenste.

Een dienstmeisje schoot naderbij en overhandigde hem de gevraagde mantel en hoed.

Met drie passen was hij bij de deur en opende hem onbeheerst. De zware eiken deur knalde achter hem dicht.

Lotte was er niet van onder de indruk.

Vader had vermoedelijk een tegenvaller moeten incasseren bij de soiree. Enfin, ze kon er zich niet druk over maken.

Een uur later maakte de dokter zijn entree. Tot Lottes verwondering was het niet de welbekende verschijning van de deftige arts die in een auto met chauffeur voorreed.

Het was een jongeman met een zeker niet nieuwe dokterstas en een evenmin nieuwe dure mantel. Hij droeg niets op zijn hoofd, zijn blonde haar waaide in de wind.

Het weer was slecht. Het regende en de wind joeg de eerste herfstbladeren door de diepe achtertuin. Het was bijna oktober, zuchtte Lotte. Het slechte seizoen was aanstaande en ze haatte dat jaargetijde. De vele feesten en partijen, de ontmoetingen in besloten kring van 'ons soort volk'. Het oppervlakkige geklets over jachtpartijen en andere vermaken waar de notabelen van de textielstad zich in deze maanden mee bezig plachten te houden, stonden haar tegen.

De onbekende trok aan de bel en wachtte netjes tot er opengedaan werd.

Annie fronste de wenkbrauwen toen ze de man op de stoep opnam. Was dat een dokter voor de rijken van de stad? Kom nou, deze man paste beter bij de patiënten van de ziekenbus, bij de arbeiders van de textielfabrieken.

'U komt voor mevrouw Bernards?' vroeg ze ten overvloede. 'Waar is dokter Van het Zand?'

De man grinnikte. 'De dokter is een paar dagen afwezig,' zei hij kalm. 'Er is mij gevraagd zijn praktijk waar te nemen.'

Annies gezicht drukte puur ongeloof uit. Deze man als vervanger van de deftige dokter Van het Zand? Onmogelijk.

Lotte kwam de hal in vanuit de salon. 'Is er iets, Annie?' vroeg ze.

Annie knikte. 'Hij zegt dat hij de dokter is.'

Lottes gezicht was een groot vraagteken, net als dat van Annie.

De jongeman stapte naar binnen. 'U hebt mij toch gevraagd te

komen? Ik heb u gezegd dat de dokter zelf niet aanwezig is.'
Lotte knikte langzaam. Ja, dat was haar ook verteld door de telefoon.
Maar ze had deze man niet verwacht. Een vervanger zou op de dokter zelf lijken, net zo'n eh...
'Lotte, pas op je woorden,' zei ze tegen zichzelf.
'Kom binnen,' zei ze toen. Hij stond al halverwege de hal.
Annie sloot de deur en bleef even staan alsof ze zeggen wilde: ik laat je niet alleen met die kwast.
Lotte wenkte hem en liep naar boven. Hij volgde haar meteen.
De jas ging niet uit. De schoenen lieten een spoor van zand en viezigheid achter op de goed in de was gezette houten treden.
De rechter zou een toeval krijgen als hij dit zag.
De dokter liep zonder aarzelen door naar de aangewezen deur en stapte binnen.
'Goedemorgen, mevrouw,' begroette hij haar.
Mevrouw Bernards keek amper op. Ze merkte ook niets van de jonge man die zwijgend zijn jas uittrok en zijn tas opende.
Lotte wachtte zwijgend tot hij het onderzoek beëindigd had. Hij keek de jonge vrouw aan, die bij het raam stond. 'Hoelang heeft ze dit al?' vroeg hij kortaf.
'Hoezo? Ze is pas gisteren in bed blijven liggen.'
Hij stond op, rolde de stethoscoop op en stopte hem in de tas. 'Niet eerder?'
Lotte schudde het hoofd. Ze zei maar niet dat ze in eerste instantie dacht aan aanstellerij.
De man liep naar de achterkant van het brede eikenhouten ledikant met de hoge hemel boven het bed van brokaat en zijde.
Schatrijk, dacht hij, en nog te stom om verstandig te eten. Dit is een beginnende longontsteking en als die doorzet redt die dame het niet. Ze heeft niets om bij te zetten, ze is zo mager als een lat. En dat hart staat me ook helemaal niet aan. Een veel te snelle en onregelmatige hartslag en de bloeddruk lijkt me ook te hoog.
Hij nam de stethoscoop van zijn oren en bukte naar zijn tas die op

de grond stond. 'Uw moeder, juffrouw, is ernstig ziek,' zei hij kortaf. 'Ik ben bang voor een beginnende longontsteking.'
Lotte werd bleek. 'Hoe kan dat nou?'
'Ze is ook veel te mager.'
Lotte knikte langzaam. Ja, daar had de man gelijk in. Moeder noemde het frêle en ze was maar wat trots op haar kleine ranke gestalte, zoals ze dat noemde. Arbeiders waren fors en grof. Zij was van betere afkomst en dat toonde zich ook in de gestalte.
Lotte deed er ook beter aan wat pondjes af te vallen, merkte moeder op. Het meisje had haar verwonderd aangezien. 'Wat zeg je, moeder? Afvallen? Wil je me er net zo laten uitzien als die meisjes van de fabriek met hun holle ogen en ingevallen wangen? De mensen zouden rondvertellen dat de rechter alles opoffert aan luxe en nog te weinig geld heeft voor een fatsoenlijke maaltijd.'
'De mensen weten heel goed dat wij zeer welgesteld zijn,' gooide mevrouw Bernards er tegenin. Maar ze zweeg er verder over. Lotte had nu eenmaal niet de lichaamsbouw van haar tengere moeder.
De jonge dokter sloot zijn tas en stond op. Hij keek naar de tengere gestalte onder de luxe satijnen deken. Toen staarde hij naar de jonge vrouw bij het raam. Wat een mooie vrouw, dacht hij. Ongelooflijk, dat zwarte haar en die grote blauwe ogen. Er was nog nooit een vrouw geweest die zo'n indruk op hem had gemaakt. Hij moest oppassen anders werd hij ter plekke smoorverliefd.
Meteen schoot het door hem heen: die kolossale verbeelding, waar de rechter en zijn vrouw om bekend staan, zal haar ook niet vreemd zijn. Jongen, hou je hoofd er bij. Je bent arts. Je weet wat verliefdheden teweeg kunnen brengen. Kijk alleen maar naar je eigen familie.
Langzaam stond hij op. 'Houd haar goed in de warmte en zorg dat ze goed te eten krijgt.' Hij bracht het er met moeite uit, merkte hij. Hij draaide zich meteen om en liep weg.
Ze knikte en volgde de jongeman naar de gang.
'U werkt al lang met dokter Van het Zand?' Ze vroeg niet verder.

Wat moest ze vragen: in dienst of compagnon?

'Nee, ik ben er nog maar net een half jaar,' zei hij kalmpjes en liep de trap met twee treden tegelijk af.

Hij beende met grote stappen door de hal naar de brede voordeur en trok die open. 'Als het erger wordt met uw moeder kunt u me altijd roepen, dag en nacht,' zei hij nog. Toen sloeg de deur achter hem dicht.

Lotte keek zwijgend naar de dichte deur. De zakelijke kille houding van de man was in strijd met zijn opmerking dat hij ieder uur van de dag geroepen kon worden. Dat had dokter Van het Zand nog nooit meegedeeld. Die zette zijn lorgnet op, drentelde een paar keer om het bed heen, voelde eens aan de pols en praatte over: 'Tja, wat zou het kunnen zijn.'

Als je echt ziek werd moest je een andere dokter roepen, zei Lotte vaak. Maar gelukkig, zij werden zelden zo ziek dat er een dokter nodig was.

Langzaam draaide ze zich om en liep naar de salon. Wat moest ze doen, vader waarschuwen? Dat had weinig zin, hij zou haar niet eens geloven. De ziektes van zijn vrouw hoorden onder het hoofdstuk 'aanstellerij'.

Wat bindt die twee mensen, dacht Lotte. Ze waren ooit met elkaar getrouwd. Nee, niet uit liefde. Het was een gearrangeerd huwelijk en in dat soort huwelijken verdroeg men elkaar. Man en vrouw waren te beschaafd om er een levende hel van te maken, ze wisten ook niet beter. Vader ging zijn weg en moeder de hare. Alles werd bedekt met de mantel van 'ons soort mensen leeft nou eenmaal zo.'

Wacht even, er schoot haar iets te binnen. Vanavond komt er weer zo'n corpsbal langs om haar te keuren. Die moest maar wegblijven. Ja, het gooide de plannen lelijk in de war, maar dat gaf niet. Ze had weinig zin om zich te laten uithuwelijken. Nee, vader geen verloving, die was er trouwens toch niet gekomen. Het zou een avondje worden van boze blikken, slaande deuren en kille opmerkingen, maar daar was ze wel aan gewend.

Bijna opgelucht stond ze op om nog even boven te gaan kijken bij haar zieke moeder.

3

DE RECHTER REAGEERDE WOEDEND TOEN HIJ DIE AVOND VERNAM DAT het bezoek van de fabrikantenzoon eigenhandig en zonder overleg door Lotte was afgezegd. 'Wat een onzin,' brieste hij. Die kleine ongesteldheden van zijn vrouw waren toch algemeen bekend. Half Almelo lachte erom.

Hij begreep trouwens niet wat zijn vrouw tegen dit bezoek had omdat ze blijkbaar alweer in bed lag om te protesteren tegen de gang van zaken. Ze zou opgelucht moeten zijn. Wat wilde ze dan? Haar dochter veroordelen tot het bestaan van een oude vrijster?

Die zoon van de textielfabrikant was een goede kandidaat voor Lotte, als je in ogenschouw nam dat ze geen jonge bruid meer zou zijn.

De beste kandidaten waren inmiddels verzegd. Dit was een heel goede kans voor Lotte. De vader van de jongeman stond bekend als een erudiete man en dat maakte hem meer dan een gewone textielfabrikant.

Er zat wel een klein smetje op het verder onbezoedelde blazoen van de familie. De jongste dochter, altijd al een zorgenkindje, was een paar jaar geleden met de chauffeur van de familie ervandoor gegaan en huisde ergens in het buitenland.

Hoe die deftige fabrikantendochter zich kon verlagen tot een chauffeur begreep de rechter in de verste verte niet. Zijn vrouw zou dat nog veel minder begrijpen, had hij al eens laten doorschemeren. Zoiets gaf een slechte naam.

Nee, mevrouw Bernards had ongetwijfeld bezwaren gemaakt als ze er gisteravond bij was geweest toen die afspraak werd gemaakt.

Zij, als jonkvrouw, kon toch zo'n omhooggevallen nieuwe rijke fabrikantenzoon, met een in onmin gevallen zuster, niet als haar familie accepteren.

De tijden waren veranderd, dat moest ze toegeven, maar ze zou laten blijken dat dat soort nieuwe rijken eigenlijk niet van haar stand was.

Er waren tijden geweest dat het plebs de straat niet eens betrad als haar familie in aantocht was. In de zeventiende eeuw huisden haar voorouders op een adellijk slot onder Den Haag met een stoet van personeel. Nu moest ze het doen met twee dienstmeisjes en een huishoudster. Het was er de laatste honderd jaar niet op vooruit gegaan, en dan te bedenken dat haar oudoom nog minister was geweest onder koning Willem I. Toen was het ambt van minister nog een echt ambt geweest. Tegenwoordig moest hij voor elk wissewasje verantwoording afleggen aan de Tweede Kamer. Nou, een Senaat had in die dagen niets in te brengen. Hij bestond nog niet eens, als je het de jonkvrouw vroeg.

Haar moeder was een echte barones en hofdame bij de koningin geweest. Daar moest hij maar niet te veel waarde aan hechten. Die vrouw had ook genoeg veroorzaakt in haar dagen. Trouwens, die hele familie was aardig afgezakt, anders had ze nooit toegestemd.

Niet aan denken, dat had ze wel gedaan en het lag ver achter hem. Het mooie verhaal dat het huwelijk van haar ouders jaren geleden Den Haag op de kop had gezet, moest ook niet te vaak worden verteld. Maar een enkele keer kon geen kwaad, als het hier in Almelo werd verteld.

Het had Den Haag wel op zijn kop gezet, maar toch net iets anders dan zijn vrouw het altijd bracht. Die schilderde een grootse bruiloft. Daar kon hij nu soms om lachen.

Lotte zou moeten accepteren dat hij een bruidegom had uitgezocht en ze mocht nog blij zijn dat hij een Twentse fabrikantenzoon had gekozen. Hij had zich heel anders kunnen gedragen. Dat zou hij zijn vrouw en zijn dochter duidelijk maken. Desnoods zou hij die dochter eens wat meedelen uit het verleden. Die dreiging hielp altijd, wist hij. Dan werd zijn vrouw zo mak als een lammetje.

Hij had die afspraak gemaakt met de vader van de jongeman, en zij was het daar natuurlijk niet mee eens. Daarom kroop ze uit protest in bed, dacht hij woedend.

En Lotte zei die visite af. Hoe kreeg ze het in haar hoofd? Nou was die kans dus ook verkeken. Vroeger stopte je dat soort dwarse meiden in het klooster, daar waren ze goed opgeborgen. Kon dat tegenwoordig nog maar, dan had hij het allang gedaan. Hij had moeite genoeg gehad met haar al die jaren.

Vanmorgen had ze de dokter laten komen. Een of andere kwast, die bij Van het Zand stage liep. Beginnende longontsteking, doe me een lol. Hij kende die dokters toch, veel meer dan wat pilletjes voor hoofdpijn en buikpijn voorschrijven konden ze niet.

De rechter was woedend en dat liet hij blijken ook. De huishoudster werd afgesnauwd, de dienstmeisjes vertrokken huilend naar hun families na een onterechte uitbrander.

Na het diner sloot hij zich op in de bibliotheek en bleef de hele avond onzichtbaar, zoals hij dat meestal deed als hem de gang van zaken niet aanstond.

Lotte was er blij om. Ze keek een paar keer bij haar moeder, die de aanwezigheid van haar dochter niet eens bemerkte. Ze had werkelijk koorts, dacht de jonge vrouw bezorgd. Als het niet beter werd moest ze morgen de dokter opnieuw laten komen. Vreemde man overigens, die arts. Een serieuze vent, maar geen type die in de praktijk van dokter Van het Zand paste. Dat was een kwakzalver eersteklas. Als er werkelijk iets aan de hand was, haalden de notabelen van Almelo zonder aarzelen een dokter van het ziekenhuis.

De jongeman die vanmorgen op huisbezoek kwam was geen kwakzalver, die was serieus met zijn vak bezig. Trouwens, wel een vent die niet snel onder de indruk was van deftige families en rijkdom, had ze nog gedacht. Zijn bemodderde schoenafdrukken waren na zijn vertrek haastig weggeveegd door een van de meisjes. Als zoiets werd gezien door het hoofd van het gezin, zwaaide er wat.

De arts had er ook geen ogenblik mee gezeten dat hij in een vochtige zwarte jas en met smerige broekspijpen die deftige stadsvilla

betrad. Hij was ongetwijfeld al bij andere patiënten geweest ook.
Fabrieksarbeiders?
Nee, dat was onmogelijk. Dokter Van het Zand had geen fabrieksarbeiders in zijn praktijk. Hij was geen huisarts die zich liet inhuren
door de ziekenbus, zoals ze dat hier noemden.
Toch vreemd, die onverwachte verschijning van de jonge arts. Het
was eigenlijk een leuke man om te zien. Die verwaaide haren, de
heldere ogen. Het leek Lotte ook een vent die je niet zomaar even
terzijde schoof.
Ze grinnikte in zichzelf. Pas op, meisje, voor je het weet ben je verkocht en je bent niet eens een verpleegster. Wat zou je vader zeggen
als je met zo'n man aankwam?
Die man paste in geen enkel opzicht bij Van het Zand, de deftige
dokter voor de rijken. Dat vond ze ergens heel plezierig.

De volgende morgen was de rechter al bijtijds vertrokken en nie-
mand in huize Bernards was daar rouwig om, ook Lotte niet.
Mevrouw Bernards leek wat op te knappen, zag Lotte toen ze even
om de deur keek. Ze was niet zo koortsig meer en was zelfs in staat
zich half op te richten, toen Lotte even later binnenkwam met een
kopje thee en een beschuitje.
'Hoe gaat het?' vroeg ze.
Een moeizaam knikken volgde.
Lotte voelde even op het voorhoofd. Redelijk warm, constateerde ze.
Ze ging even zitten op de rand van het bed.
De zieke keek wat koortsig naar de jonge vrouw. 'Lotte?' vroeg ze
toen. Ze boog zich voorover. 'Ja?' vroeg ze zachtjes.
'Krijgt je vader een zetel in de Hoge Raad?' kwam het gesmoord en
heel moeizaam.
Lotte slikte iets weg. Had haar moeder zo'n hekel aan deze omge-
ving, dat ze zelfs in al haar ziekzijn nog bezig was met een eventu-
ele verhuizing naar Den Haag?
'Ik geloof dat het niet zo snel gaat als hij gehoopt had,' zei ze wat

voorzichtig. Haar gedachten vlogen terug naar de avond daarvoor: de norse stemming, de onredelijke boosheid, die neerkwam op hoofden van mensen die nergens schuld aan hadden.

De zieke knikte alsof ze het volledig begrepen had. Ze liet zich zakken onder de dekens. 'Hij moet het niet aannemen,' fluisterde ze. Lotte keek haar verbijsterd aan. 'Wat zegt u?' zei ze. Was moeder bevangen door koortsdromen? Wist ze niet meer wat ze zei?

'Hij moet het niet aannemen,' fluisterde ze opnieuw. 'Het is niet goed voor hem en ook niet voor mij en jou. We moeten niet terug naar Den Haag, dat is niet goed.'

Lotte zweeg. Ja, moeder was aan het ijlen. Ze moest rust hebben, ze had meer koorts dan verwacht. Misschien moest die dokter vandaag toch nog maar eens langskomen. Hij was gisteren niet bepaald gerust op de ontwikkeling van de aandoening.

Moeder bleef liggen met gesloten ogen. Zelfs in al haar misère en ziekte zag ze eruit als een echte dame, dacht haar dochter. Dure nachtkleding, zijden bedjasje, de aristocratische trekken op het gezicht...

Langzaam verliet ze de kamer en maakte zich ernstig zorgen.

Een paar dagen later leek het erop dat mevrouw Bernards herstelde van haar aandoening. Het bleef bij een zware verkoudheid en zette niet door naar een longontsteking.

Dokter Van het Zand kwam nog een keer kijken en liep mompelend om het bed heen. 'Zwaar ziek, ziet er niet goed uit.' Hij voelde een pols en streek even over het voorhoofd van de patiënte om te voelen of er ook verhoging was.

Daarna ging hij even mompelend weer weg, zonder medicijnen voor te schrijven.

Lotte liet hem zwijgend uit. Wat moest ze nou met die man aan, dacht ze terwijl ze de zware buitendeur weer sloot. Daar had je toch helemaal niets aan als huisarts. Zijn assistent was tien keer beter.

Een dag later had Lottes moeder toch weer verhoging en de dokter werd ontboden. Als Van het Zand weer langskwam, was ze in staat om hem terug te sturen en een dokter van de ziekenbus te laten komen, dacht Lotte.

De assistent met zijn natte donkere mantel kwam weer de stoep op. Nee, dokter van het Zand was zelf een beetje verkouden en was in bed gekropen.

Lotte merkte dat ze opgelucht was nu de jonge arts kwam. Anderzijds was ze een beetje bang, moeder was veel meer bij de tijd dan een paar dagen geleden. Hoe zou dat aflopen als ze deze arts bij haar bed zag staan?

Ze vreesde voor een onverkwikkelijk treffen van een dame die uit de hoogte zou doen, en een verwarde dokter die zich misschien geen raad wist met die houding. Moeder kon onuitstaanbaar zijn in haar gedrag.

Het leek er meteen al op. Moeder was niet zo ziek of ze bekeek de man bij haar bed met een grenzeloze minachting. 'Wie is die man?' zei ze voor haar doen luid.

'De dokter, mevrouw,' komt het opgewekt.

'Je ziet eruit als een schooier.'

'Ach ja, de complimenten vliegen me wel vaker om de oren,' komt hij even monter.

'Ik wil u niet aan mijn bed,' zei ze met afkeer en wendde zich af alsof ze kokhalsde.

De jongeman richtte zich op. Zijn ogen begonnen boos te kijken. 'U mag kiezen, mevrouw,' zei hij ijzig. 'U wordt behandeld of u wordt niet behandeld. Zegt u het maar.' Hij nam de stethoscoop van zijn nek en maakte aanstalten om die weer in zijn oude tas te stoppen.

Lotte schoot naderbij. 'Mijn moeder is ziek, ze ijlt waarschijnlijk,' zei ze haastig.

De man keek opzij. 'Ik denk het niet,' zei hij kil. 'Uiteindelijk kennen we allemaal deze dame wel in Almelo, nietwaar? Een hoop poeha en verder niets.'

De patiënte richtte zich op. 'Hoe durft u! Weet u wel wie ik ben?'

De man lachte ironisch. 'Ik geloof dat u gelijk heeft, juffrouw Bernards, inderdaad, ze ijlt,' vertelde hij tegen Lotte. 'Ze weet niet eens meer wie ze is, ze vraagt het aan mij.'

Mevrouw Bernards probeerde haar hoofd op te lichten van het kussen. 'Ik weet heel goed wie ik ben. Jonkvrouw De l'Eau tot Lichtenstein, dat ben ik.'

De arts was niet onder de indruk. 'Ja, die familie is bekend. Uit Den Haag nog wel. Was uw moeder geen hofdame bij de koningin?'

'Jazeker en daarom dien jij je plaats te weten. Er zijn tijden geweest dat je de grond niet eens mocht aanraken waarop mijn familie had gelopen.' Uitgeput zakte de vrouw achterover.

De arts glimlachte spottend. 'Dat is lang geleden mevrouw, dat weten we allebei wel, nietwaar? Ik kom namelijk ook uit Den Haag, ziet u.'

Lotte zag haar moeder krijtwit worden. De vrouw wendde haar hoofd af en zweeg verder. De hele hooghartige houding was weg.

De arts onderzocht haar zwijgend en vouwde zijn tas dicht na een gedegen onderzoek. 'Ze heeft geluk gehad, het is geen longontsteking maar wel een fikse griep,' zei hij kortaf tegen Lotte. 'Nog een aantal dagen het bed houden en dan kan ze langzaam opstaan, en zorg dat ze goed te eten krijgt, stevige kost en geen liflafjes. En let ook op haar hart, dat is lang niet in orde.'

Mevrouw Bernards zweeg met opeengeklemde lippen. Nee, die zal geen woord meer uitbrengen, meende Lotte. Het kwam niet vaak voor dat ze zo tegemoet werd getreden. Het deed haar anders wel goed dat eens mee te maken.

Lotte keek haar moeder verwijtend aan en volgde toen de dokter, die zonder een groet wegliep naar de gang. Ze bood de arts haar excuses niet aan. Ze wist eigenlijk niet eens waarom ze het niet deed. Misschien wel omdat de arrogante houding van haar moeder haar meer dan bekend was.

Annie stond in de hal te wachten. Ze had iets gehoord van boven dat leek op een woordenwisseling. Natuurlijk had mevrouw opmerkingen gemaakt over het uiterlijk van die jonge dokter. Dat mens was in staat om iedereen de grond in te boren. Ze liet de arts uit toen hij met grote stappen naar de deur liep.

Ze zag nog net dat de jonge arts nog een blik wierp op de juffrouw. Een blik die toonde dat hij meer dan gewone belangstelling voor haar had.

Al die dagen dat zijn vrouw ziek in haar bed lag, had de rechter amper naar haar omgekeken. Hij vroeg zelfs niet eens naar de gezondheidstoestand van zijn vrouw. Lotte vertelde het hem duidelijk en maakte de opmerking dat hij wel eens wat meer bezorgdheid mocht tonen. 'Het personeel begint al te praten,' zei ze kil. Het hielp weinig. De rechter was bijna niet te bewegen om eens de trap op te gaan naar de slaapkamer van zijn vrouw.

Al die tijd dansten de woorden van die vreemde arts door Lottes hoofd. 'Deftige familie, dat is lang geleden. Dat weten we allebei, nietwaar?'

Hoe zit dat, dacht Lotte verbaasd. De man kwam ook uit Den Haag. Die sober geklede man? Ze wist niet eens hoe hij heette. Hij had zijn naam niet genoemd. Zou de huishoudster iets meer weten, dacht ze ineens. Annie was altijd op de hoogte van de laatste roddels. Die sprak geregeld met ander personeel uit de deftige fabrikantenwoningen.

Lotte wist wel dat ze niet echt vertrouwd moest worden met het personeel. Het kon gewoon niet, dat ging zo door Almelo. Maar toch, ze wilde iets meer weten over die jonge arts.

Waar was de huishoudster? De bel had net geklingeld en Annie had opengedaan, zoals ze dat meestal deed.

Waarschijnlijk zou de was teruggebracht zijn, die kwam altijd om deze tijd.

Annie stond nog in de grote hal. Ze droeg de wasmand met een keurig opgevouwen was onder de arm. Ja, inderdaad, de wasserij was net geweest.

'Kan ik het opruimen?' vroeg Annie langzaam.

Lotte knikte kort. Nee, zij keurde de was niet zoals moeder dat deed. Elk stuk werd nauwkeurig gecontroleerd en weer opgevouwen. Als er maar iets aan mankeerde, niet perfect gestreken, een klein vouwtje in een laken, was de boot aan. De eigenaar van de wasserij mocht komen opdraven en kreeg ze breed uitgemeten. Moeder was al aan haar vierde wasserij toe in Almelo.

Annie wilde opgelucht de trap oplopen toen Lotte ineens vroeg: 'Annie, heb jij een ogenblikje?'

Annie keerde zich bereidwillig om. Jazeker had ze een ogenblikje, wel twee zelfs.

'Weet jij iets van die dokter af?'

Annie kon nog net een glimlach voor zich houden. Ach, mevrouw had haar ongenoegen zeker laten blijken tegenover die schamele figuur. Bij die dame ging het er niet om wie je was, maar om hoe je eruit zag. Maar hoe je aan die dure kleren kwam werd niet gevraagd.

'Iets wel, maar niet veel,' zei ze langzaam. 'Hij schijnt uit Den Haag of omgeving te komen. Hij is afgestudeerd dokter en hij schijnt een heel knappe dokter te zijn. Een vent ook die echt arts is en niet alleen bij rijke lui over de vloer komt.'

Lotte staarde haar verwonderd aan. 'Hoe weet jij dat allemaal?' Ze maakte een korte beweging. Kom eens even mee naar de keuken, daar wil ik het mijne van hebben, zei haar hele houding.

Annie volgde gehoorzaam met de mand onder de arm. Ze was een beetje verbaasd. Wat een belangstelling voor zo'n arts. Die was toch veel te min voor de familie?

Ze schonk nog gauw een mok koffie in en schoof aan de brede tafel. Lotte ging tegenover haar zitten.

'Deze dokter is nog niet zo lang in de stad, maar iedereen kent hem al...' haperde Annie. 'Iedereen is erg met hem ingenomen.'

'Iedereen?'

Annie knikte kort. 'Ja, hij schijnt er voor iedere man of vrouw te zijn, tot woede van dokter Van het Zand, die schijnt te denken dat zijn hele aanzien eraan gaat. Vorige maand heeft die jonge vent een kind van een landarbeider behandeld dat een arm had gebroken en hij heeft niet eens een rekening gestuurd. De ouwelui waren geen lid van de ziekenbus en ze werken niet in de textiel. Zo zijn er meer verhalen over hem. Dokter Van het Zand heeft hem meer dan eens verboden om gewone mensen te helpen, maar daar trekt hij zich niets van aan.' Haar hele houding gaf aan dat ze de dokter enerzijds een beste vent vond, maar anderzijds zijn gedrag ook sterk afkeurde. In haar ogen gingen fabrieksarbeiders en textielfabrikanten nu eenmaal niet naar dezelfde arts.

'Hoe komt hij bij Van het Zand als assistent? Die zou nooit zo'n eenvoudige man aannemen.'

Annie knikte heftig. 'Hij heeft al vaker een aanvaring gehad met dokter Van het Zand over het helpen van patiënten. Hij schijnt van heel deftige afkomst te zijn, zeggen ze. Anders had Van het Zand hem nooit aangenomen. Hij kon wel eens familie van u zijn, juffrouw. Hij heeft in ieder geval dezelfde achternaam.'

Lottes mond viel open. 'Je bedoelt dat hij Bernards heet?'

Annie knikte instemmend. Ze zette haar mok op het aanrecht en stond op. Ze wilde weer aan het werk. Ze had genoeg te doen en mevrouw was lastig nu ze wat beter werd.

Lotte merkte amper dat de huishoudster wegliep. Bernards, hij heette Bernards. Het werd hoog tijd dat ze eens met die man aan de praat kwam. Vooral ook om zijn opmerkingen over moeder en haar familie.

Lotte kende moeders familie niet, ook niet die van vaders kant. De ouders en grootouders van moeder waren lang geleden overleden, die van vader ook. Ze had hen nooit ontmoet. Volgens die stamboom die haar vader haar onder de neus gedrukt had, kon dat ook niet. De grootvader was jong overleden, dat stond er op. Van de grootmoeder wist ze niets. Het zou ongetwijfeld een rijke familie zijn. Dat vertelde haar vader steeds opnieuw.

Het enige wat ze wist was, dat grootmoeder hofdame was geweest. Een erebaan, dat was algemeen bekend. Lotte had haar oma nooit ontmoet. Ze was al overleden voor Lotte geboren werd.

Grootvader, de jonkheer, wat had hij voor functie gehad? Lotte wist het niet. Ze had eigenlijk nooit over hem horen praten. Waarom werd moeder zo krijtwit toen die arts meedeelde dat hij haar familie kende?

Lotte had nooit over haar familie nagedacht. Het zouden allemaal mensen zijn, die dachten zoals haar ouders; beperkt en eenzijdig door hun bevoorrechte leven. Dat er mensen waren die niets hadden en op de rand van de honger leefden, telde niet voor deze mensen. Armoedzaaiers waren achterlijk en dom. Armoede was eigen schuld dikke bult, vonden zij. Fabrieksarbeiders waren in hun ogen lieden met te veel kinderen en ze zopen te veel. Ze hadden geen enkele opleiding en ze waren dom en onontwikkeld. Daar moest je verre van blijven.

Het was toch niet de verdienste van haar ouders dat ze welgesteld waren? Ze hadden ook als tiende kind van een spinner in een textielfabriek kunnen worden geboren. Waarom dartelden die gedachten nu ineens door haar hoofd? Waren het de vreemde opmerkingen van die arts, die weinig of geen respect toonde voor haar moeder?

'Ik kom ook uit Den Haag, ziet u.' Wat bedoelde de man daarmee? Ja, dacht Lotte, dat kan maar een ding zijn: er is iets aan de hand met die familie van mijn moeder en dat is in Den Haag bekend.

Speelde dat misschien door in het huwelijk van haar ouders? Lotte had zich vaak afgevraagd waarom die twee ooit getrouwd waren. Het was in ieder geval niet uit liefde en respect, zeker niet van vaders kant.

'Gearrangeerd huwelijk,' had de huishoudster gezegd. Dat was normaal in hun kringen. De ouwelui keken naar rang en stand en vooral naar de vooruitzichten van de aanstaande bruidegom. Die moesten goed zijn, bij voorkeur beter dan die van henzelf. Stand hoorde bij stand. Een rechter was in wezen niet voldoende voor een rijke jonkvrouw, wier moeder aan het hof diende. Hij had minstens procureur-generaal bij de Hoge Raad moeten zijn.

Was dat het geheim van hun huwelijk? Was moeder zo teleurgesteld dat ze dat haar man had verweten in vroeger tijden? Het was net iets voor moeder, dacht Lotte zuchtend.

'Ach,' verzuchtte huishoudster Annie onlangs nog, 'zo is het overal, ook bij een arbeider. Ik hoefde vroeger niet thuis te komen met iets anders dan een fabrieksarbeider. Mijn vader was uit zijn vel gesprongen als het een kantoorklerk zou zijn. Dan had ik verbeelding, en hoogmoed komt voor de val, riep hij dan. Ik weet het, mijn zuster heeft zoiets meegemaakt. De verkering is uitgeraakt en nou is ze getrouwd met een wever van de fabriek. Armoede, zorgen, en amper te eten, meer niet. Ik heb al gezegd: laat mij maar hier zitten. Goed, een ouwe vrijster, maar wel een die geen zorgen heeft om de fles, de kinderen en een man, die zijn handen niet thuis kan houden.'

Lotte had gezwegen. Wat wil zij, vroeg ze zich af. Ze was in de wieg gelegd voor echtgenote van een aanzienlijk man. Tot nu toe had ze het kunnen voorkomen, maar het zou niet lang meer duren, wist ze. De druk van vader begon toe te nemen. Hij wilde haar blijkbaar snel onder dak hebben bij een aanvaardbare kandidaat.

Er waren onder die studenten toch ook andere jongelui, er was toch wel een redelijk aardige vent onder hen? Iemand met wie het goed huizen was? Een gewone man zonder kapsones... Zo iemand als die jonge arts...

Lotte, bestrafte ze zichzelf. Wat krijgen we nou?

Ze was een gewilde kandidate onder de zoons van de fabrikanten in Almelo. Dochter van een heuse jonkvrouw, vader eerste rechter bij het arrondissement, oud geld... Aanzienlijke familie uit het westen van het land met een lange stamboom van rijkdom en hoge functies in de maatschappij.

Wat zei Annie ook al weer: 'die dokter was van een heel rijke familie. Bernards...' Was het in de verte nog familie?

Ze keek peinzend voor zich uit. Die stamboom van vader klopt niet, dacht ze. Hij heeft zichzelf erbij geschreven.

Ze zuchtte diep.

Ook de woorden van haar moeder van een paar dagen geleden sarden door haar hoofd.

'Het is niet goed dat hij naar de Hoge Raad gaat.' Waarom zou dat niet goed zijn? Haar vader zou uitstekend op zijn plaats zijn bij die deftige rechters, die het van kletsen en debatteren moesten hebben. Hij heeft dat nog niet gered. Men had hem nog geen zetel aangeboden in Den Haag, zei hij. Lotte wist ook niet of er een vacant was. Dat soort rechters werd gevraagd, aangezocht heette dat. Het was geen functie waarop gesolliciteerd kon worden.

'Het is niet goed dat hij naar Den Haag gaat...'

Wat bedoelde haar moeder daarmee?

Genoeg, piekerde Lotte. Meer dan genoeg, althans zo leek het.

En dat allemaal door de komst van een nieuwe dokter, die zelf even vreemd was als zijn woorden.

4

LOTTE LEUNDE ACHTEROVER EN RIEP KORT 'BINNEN' TOEN ZE EEN TIKJE op de deur hoorde. Ze kende het tikje, de huishoudster meldde zich. Annie keek om de deur. 'Mevrouw wil u graag even spreken.' Lotte fronste de wenkbrauwen. Als moeder haar nodig had belde ze eerst naar Annie. Ze knikte kort en stond op. Zonder al te veel haast liep ze naar de deur.

Moeder was lastig als patiënte, dat was algemeen bekend. Niet alleen bij het personeel, ook bij haar dochter. Ergens was het begrijpelijk dat vader de klachten niet serieus nam.

Moeder was van mening dat ze lastig mocht zijn. Ten slotte was zij 'de vrouw des huizes en echtgenote van een invloedrijke man', verkondigde ze meer dan eens. Ze hield een aantal mensen aan het eten door ze in dienst te nemen. Soms noemde ze het ook anders. 'Zij was nauwkeurig en ze leidde de huishouding met straffe hand.'

Annie keek haar na toen de jonge vrouw de trap was opgelopen en in de slaapkamer was verdwenen.

Lotte is een beste meid, voor haar doen dan, dacht ze, en liep naar de keuken. Hoe was het mogelijk dat zij een dochter was van dat echtpaar. Lotte was altijd een ander type geweest dan die twee. Annie had wel eens gedacht dat het meisje geadopteerd was in vroeger dagen. Het kon bijna niet anders als je zag hoe man en vrouw met elkaar omgingen. Uit zo'n huwelijk konden geen kinderen voortkomen. Ze leefden onder één dak met gescheiden slaapkamers en gescheiden salons. Ze mochten elkaar niet eens, dat verborgen ze zelfs niet voor het personeel.

Dat kreeg je met die deftige lui. De ouwelui maakten uit met wie hun kinderen trouwden.

Annie was bijna blij dat ze gewoon van een arbeidersgezin stamde. Daar werd ook streng gekeken naar de aanstaande vrijer, maar het lag toch heel anders, vond ze.

Lotte liep de trap op en opende de deur van haar moeders slaapkamer. 'Is er iets?' vroeg ze kalm.

Mevrouw Bernards zat in haar zijden bedjasje naast het bed op een luxe met de hand geborduurd fauteuiltje.

Ze knapt weer op, merkte Lotte. Haar manier van doen ook, dacht ze ineens woedend. Waar komen die gedachten vandaan dat ze meer is dan wie ook? Geeft haar dat het recht zich te gedragen als een onbeschofte vlerk?

Dacht ze werkelijk dat die houding maakt dat men haar bewondert en respecteert? Ze wordt achter haar rug uitgelachen.

Met haar vader ging het net zo. Ook hij werd schouderophalend nagezien als hij over straat ging, en dan volgden sommige opmerkingen die Lotte niet eens wilde herhalen.

Ze voelde de blikken van het personeel als ze haar riepen, want mevrouw had gemeld dat ze haar dochter wilde spreken. Waarom ze dat deed was Lotte een raadsel. Zo handelde ze altijd.

Moeders hand maakte een beweging van naderbij komen.

De jonge vrouw nam plaats op de stoel naast het bed tegenover haar moeder.

'Lotte.'

'Ja, moeder.'

Vroeger zei ik 'maman', dacht ze ineens. Ik mocht geen moeder zeggen. 'Maman', op zijn Frans vanwege de gouvernante die was ingehuurd. Die naam 'maman' had ze zelf afgeschaft toen ze een jaar of veertien was. Ze vond het te kinderachtig.

'Ik moet je iets vertellen.'

'Ja?' Wat kon ze nou te vertellen hebben? Zou er iets aan het eten mankeren? Ze had Lotte niet nodig om haar misnoegen kenbaar te maken aan de huishoudster.

'Ik heb het je niet willen vertellen maar sinds enkele weken vind ik dat je het toch moet weten.'

Lotte keek haar moeder verwonderd aan. 'Wat zijn dit voor vreemde opmerkingen?'

'Ik vrees dat ik weinig tijd meer heb...'

Lotte maakte een onbeheerste beweging. 'Doe niet zo dramatisch, moeder, u knapt al weer aardig op. Het is geen longontsteking geworden, dat weet u best. U zit alweer naast het bed.'

Dat was moeder op haar best, dacht het meisje bijna boos. Van een mug een olifant maken. Volgende week zou ze overal rondbazuinen dat ze voor de dood was weggehaald. Heerlijk onderwerp om de volle aandacht weer te verkrijgen van iedereen die daarvoor in aanmerking kwam. Wedden dat half Almelo erom gniffelde? Ze kenden de freule zo langzamerhand wel.

De vrouw naast het bed wendde het hoofd af. Lotte was niet gauw te imponeren met zielige verhalen. Waar het kind op leek was haar soms een raadsel, kon ze dramatisch beweren. Ze was zo totaal anders dan andere meisjes van goeden huize. En zij, de moeder had eraan gedaan wat ze kon om haar goed op te voeden. Het kind voorgehouden hoe ze zich had te gedragen in haar kringen.

Maar het hielp niets... Die school, het lag allemaal aan die school. Ze had eens getelefoneerd met een ouder die ook haar dochter naar dat internaat had gestuurd. Nee, haar dochter had er blijkbaar weinig van opgestoken, beweerde de vrouw. Later had mevrouw Bernards vernomen via via dat die dochter aan lager wal was geraakt. Ze had er wel iets opgestoken en dat was niet veel goeds. Dan kon je nog beter hebben dat de kinderen wat opstandig werden zoals Lotte.

Ze beet op haar lip. 'En toch moet ik je iets zeggen.'

'Moeder, uw laatste testament ligt keurig bij de notaris. Maar u gaat nog lang niet dood.'

De vrouw zuchtte diep. 'Jammer genoeg niet.'

Lotte keek haar een tijdje zwijgend aan. 'Als dit huwelijk zo zwaar is voor u, waarom stapt u er dan niet uit?' zei ze ineens roekeloos. 'Ik ben oud genoeg om te zien dat u en vader weinig gemeen hebben. En van een goed huwelijk is al helemaal geen sprake.'

Het gezicht boven het fraai geborduurde bedjasje vertrok. 'Dat kan niet,' fluisterde de zachte stem. 'Anders had ik het allang gedaan.'

Dat kan niet? Het was weinig meer dan een koffer inpakken en vertrekken. De rest werd wel door advocaten afgehandeld.

Vaders carrière was naar de knoppen, moeders maatschappelijke aanzien eveneens. Hield dat hen tegen? Waren ze zo standsbewust dat ze zichzelf en hun leven liever kapot maakten dan in een redelijke rust verder te leven, al was het als gescheiden man en vrouw? Vader zou zijn baan als rechter niet verliezen. Hij zou misschien niet bij de Hoge Raad komen, maar of hij daar ooit kwam was al jaren een vraag. Hij hoopte er al zo lang op. En de laatste keer dat hij iemand had ontmoet, die invloedrijk genoeg was om hem die baan te bezorgen, was het blijkbaar weer niets geworden.

Moeder was financieel onafhankelijk, ten minste dat geloofde Lotte stellig. Trouwens, er was nog een oplossing. Gewoon vertrekken en het huwelijk op papier laten bestaan. Dat gebeurde vaker in hun kringen. Lotte kende de families in Almelo waar man en vrouw officieel getrouwd waren en gescheiden woonden.

'U liet me toch niet opdraven voor deze mededeling?' vroeg ze langzaam.

De vrouw schudde het hoofd. 'Je vader gaf je pas geleden zijn stamboom.'

Lotte keek haar niet begrijpend aan. Was moeder dat opgevallen?

De vrouw kwam iets overeind uit de fauteuil. Ze hoestte een beetje en zuchtte diep of was het ademnood? 'Die stamboom is niet van zijn familie. Je vader staat er met de hand bijgeschreven.'

Dat had Lotte ook gezien, maar wist moeder dat ook? Had zij dat ooit ook gezien?

'Je vader is geen lid van de patriciërsfamilie Bernards uit Aerdenhout, zoals hij beweert. Kijk maar in het trouwboekje. Dat ligt in zijn bureaulade. Hij zei dat hij het nodig had voor een bespreking en heeft het uit de kluis gehaald. Een dezer dagen bergt hij het weer op.'

Lotte liep langzaam naar beneden. Ze was diep in gedachten door de woorden van haar moeder.

Haar vader was geen lid van die bewuste familie Bernards. Hoe kwam ze daarbij? En als dat zo zou zijn, waarom beweerde hij dan dat hij het wel was? Had haar moeder dat niet geweten toen ze trouwde?

Zo'n deftige familie, die zelfs aan het hof bekend was, zou zeker nageplozen hebben wat voor vlees ze in de kuip hadden voor er besprekingen werden gevoerd over een huwelijk.

'Zware huwelijkse voorwaarden waren er destijds opgemaakt,' zei ze altijd. Natuurlijk was er van tevoren een gang naar de notaris gemaakt. Dat was normaal in die kringen.

Stel dat hij inderdaad niet van die patriciërsfamilie was... Dan was dat huwelijk toch nooit gesloten?

De familie en haar afkomst waren alles voor moeder en trouwens ook voor vader. Waarom waren ze daar zo op gesteld? Wat had je er aan als je wist dat je voorouders in de achttiende eeuw rijk en voornaam waren geweest. Je leefde nu in deze tijd, de zorgelijke jaren dertig van de twintigste eeuw met al zijn ontslagen en zijn slechte economie.

In de vorige eeuwen was een adellijke titel hetzelfde als een goed en rijk leven, nu lag dat wel iets anders. De exclusiviteit was er een beetje af. Veel van die oude adel was door de jaren heen afgezakt tot gewoon volk dat hard moest werken voor zijn brood.

Nee, Lotte, je weet wel beter. De familiestamboom is alles voor sommigen, zeker voor hen, die hun carrière mede te danken hebben aan hun dubbele naam. Als je een deftige naam met een titel hebt ben je al halfweg een diplomatenfunctie.

En wat dan nog? Denk eens aan de uitspraak van die paus uit het begin van de middeleeuwen. Daar heb je vaak genoeg mee geschermd om je ouders op stang te jagen. Want de adel is ooit ontstaan uit machtig geworden mensen van allerlei slag die hun medemens er onder hielden met geweld, en zich deftige titels aanschaften om aan te geven hoe ver zij verheven waren boven het volk dat zij onder de knoet hielden.

Lotte grinnikte bijna hardop. Lange duurklinkende stambomen en mooi papier moesten hun hoge verhevenheid bewijzen. Ze wist dat er nergens meer over gelogen werd dan over deftige voorouders en vooral over rijke voorouders. Het maakte niet uit of het adel was of gewoon volk, allemaal deden ze zich beter voor dan ze waren.

Moeder was zeker nog boos over vaders optreden van de laatste dagen. Gisteren was hij voor het eerst de trap opgegaan en had vijf minuten in de kamer van zijn vrouw doorgebracht. Daarna was hij vertrokken voor een schaakavondje met een collega.

Het gedrag van vader is ook niet plezierig, dacht Lotte wrevelig. Waarom toonde hij niet meer genegenheid en belangstelling voor de vrouw waarmee hij getrouwd was? Ze hadden toch ook kunnen besluiten om er het beste van te maken?

Hij was rechter, hij kwam altijd in aanraking met mensen die het bloed onder de nagels van anderen weghaalden. Hij zou juist moeten beseffen dat het beter was elkaar een beetje te ontzien dan zo bruut zijn eigen gang te gaan en zijn vrouw te negeren.

Kwam moeder uit frustratie met deze opmerking?

Of zat er heel wat anders achter?

Die dokter, die ook Bernards heette. Die volgens Annie van heel deftige afkomst was uit Den Haag.

Hadden de opmerkingen van die man soms iets met die merkwaardige woorden van moeder te maken?

Haar voeten droegen haar als het ware vanzelf naar het bureau van haar vader in de bibliotheek.

Ze bleef staan bij het zware donkere meubel dat keurig opgeruimd en afgestoft was. De laden zouden zijn afgesloten, de rechter vertrouwde het personeel voor geen cent. Personeel was plebs in zijn ogen en had geen fatsoen. Ze zouden zonder enig bezwaar alle belangrijke papieren nakijken en bestuderen en overal rondvertellen wat daarop beschreven stond.

Lotte wist waar de sleutel lag en volgens haar wist het personeel dat ook deksels goed. Niet dat ze ooit een van hen ergens op had kunnen betrappen, maar het personeel wist altijd meer dan iemand vermoedde.

Het trouwboekje, dacht ze. Ik heb het nog nooit gezien. Wat kan er trouwens instaan? Een paar namen en een trouwdatum. Nou en? Was dat zo bijzonder?

Voorzichtig draaide ze de bovenste lade open en trok aan de koperen ring om hem naar voren te schuiven. Ze keek naar de keurige indeling, een pennenbakje, een pot inkt, hagelwit schrijfpapier. Je kon veel van de rechter zeggen, maar niet dat hij slordig was.

Onder het pennenbakje lag het trouwboekje. Lotte schoot bijna in de lach toen ze het in haar handen nam. Het was zo'n simpel gewoon bruin boekje met een rood linnen rugje. Wat had ze dan verwacht? Een met goud ingelegd fluwelen exemplaar?

Er waren duurdere boekjes, dacht ze ineens. Vorig jaar was een kennisje getrouwd in Enschede met een procuratiehouder van een textielfabriek, ver beneden de stand van de rechter natuurlijk. Lotte had gezien hoe een zwart leren boekje werd overhandigd als trouwboekje door de ambtenaar. Het was de luxe uitgave had ze begrepen. Dit was bijna een afknapper. Zo een werd ook uitgereikt aan het gewone volk.

Als er ten tijde van hun trouwen duurdere uitgaven hadden bestaan, hadden haar ouders er zeker eentje genomen, dacht ze bijna vrolijk. Ze opende het. Kijk eens aan, getrouwd in Den Haag. Dat was niet vreemd. Inderdaad, Eloise jonkvrouw de l'Eau tot Lichtenstein, de titel stond voor de naam geschreven. Geboren te Wassenaar. Half Franse adel, dat was Lotte goed ingeprent. Overgrootmoeder was een Franse barones. Wat het voorstelde wist ze niet. Op school had ze geleerd dat de adel in Frankrijk was afgeschaft met de Franse revolutie.

In Nederland was de adel afgeschaft in 1795. Alle mensen, rijk of arm hadden gelijke rechten en die konden hen niet ontnomen worden, heette het toen, de tijd van vrijheid, gelijkheid en broederschap.

De adel kwam er goed vanaf, ze werd niet onthoofd, zoals in Frankrijk. De bezittingen werden niet verbeurd verklaard. De verregaande privileges om hun eigen ambtenaren aan te stellen en zelf recht te spreken waren ze wel kwijt, maar vooral de landadel behield nog een heel aantal rechten van vroeger.

Na de Franse tijd konden de van oudsher adellijke families hun titels terugkopen en andere rijke families konden zich in de adelstand laten verheffen door een titel te kopen. De schatkist was leeg en kon wel aanvulling gebruiken. Dat scheen ook op grote schaal gebeurd te zijn aan het begin van negentiende eeuw.

De vader, Christiaan de l'Eau tot Lichtenstein, was al overleden. Grootmoeder, de hofdame, leefde nog ten tijde van het huwelijk, zag Lotte.

Haar vader was geboren in Utrecht. Dat had ze nooit geweten. Niet Aerdenhout bij Bloemendaal dus, zoals hij beweerde. Zijn vader heette Hendrik.

Lotte keek verwonderd op.

Geen Alexander zoals op die stamboom stond vermeld. Had moeder gelijk? Was hij niet van die aanzienlijke patriciërsfamilie?

Beide ouders waren al overleden, had haar vader altijd beweerd. Daar was niets van vermeld in het trouwboekje. Toen vader en moeder trouwden leefden zijn ouders allebei nog. Wat had dat te betekenen? Gaf hij zich uit voor iemand die hij niet was?

Ja en daar stond het. Dochter Charlotte Margaretha, geboren te Almelo, vier jaar na het huwelijk. Er waren geen andere kinderen geweest in dit huwelijk.

Lotte legde het boekje terug in de la en sloot hem weer af. De stamboom klopt niet, dacht ze. Hij heeft zichzelf aan een deftige familie geplakt. Waarom? Wilde hij beter zijn dan hij was? Je werd toch niet beoordeeld op je voorouders, maar op wie je zelf was.

Nu ik aan het snuffelen ben wil ik ook alles weten, ging het door haar heen. Waar is die stamboom? Het trouwboekje vermeldt alleen de feiten en die kloppen, daar kan ik van op aan.

Ze tuurde in de boekenkast, in de bureaulades, onder het bureaublad, maar vond niets. Vreemd, die stamboom moest hier toch ergens zijn? Ze begreep niet waarom die papieren verstopt moesten worden.

Lagen ze ook achter de boeken verstopt in de kasten?

Lotte begon een paar boeken uit de rij te halen. Pas op de bovenste plank had ze succes. Er lag iets achter de boeken en ze haalde een rol papieren te voorschijn.

Was het nodig die daar op te bergen? Kwam dat omdat er iets opstond wat er niet op hoorde?

Ze ging aan het bureau zitten en hoorde de klok twaalf uur slaan. Vader kwam niet thuis voor vijf uur vanavond. Dat deed hij nooit.

Ze vouwde de papieren uit.

Opa Bernards heette Hendrik, dacht ze. Haar vinger gleed langs de hokjes en de namen daarin. Dure voornamen, vaak Frans, schoot het door haar heen. Guillaume, Frederic Jean, Alexander maar geen Hendrik of Henry.

Langzaam keek ze op, pakte het trouwboekje nog eens uit de lade van het bureau en fronste de wenkbrauwen.

Het klopte niet. In het trouwboekje stond overduidelijk de naam Hendrik Bernards...

Lotte staarde naar de naam van de grootmoeder. Meijer, zag ze. Dat klonk niet bepaald als adel. Meijer was een heel gewone naam. Er was hier zelfs vorig jaar een dienstmeisje geweest dat Meijer heette. Lang had dat niet geduurd, het meisje had niet tegen de onredelijke woedeaanvallen van de rechter gekund en was na een maand vertrokken. Had haar naam vader herinnerd aan een verleden waaraan hij niet herinnerd wilde worden?

Wilhelmina Meijer en Hendrik Bernards, dat waren de ouders van haar vader.

Die namen stonden niet in die keurig uitgegeven stamboom van die deftige familie Bernards.

Lotte begon ineens te grinniken. Eigenlijk vond ze het wel geinig.

Stel dat vader van heel gewone afkomst was, nou en?

Toen verstrakte haar gezicht.

Zou hij niets meer met zijn eigen familie te maken willen hebben omdat ze te min waren in zijn ogen, gewone arbeiders of kleine boeren?

Ze legde zwijgend de papieren terug achter de boeken in de kast en sloot de lade weer af.

Was dat de reden waarom haar grootouders waren doodverklaard? Dat kon toch niet waar zijn? Zoiets deed je toch niet? Die mensen hadden waarschijnlijk hun leven lang krom moeten liggen om de studie te betalen van hun zoon en dan was dit de dank?

Langzaam maakte zich een gevoel van zware teleurstelling van haar meester. Ze kon het verdragen dat haar vader zich ver verheven voelde boven het gewone volk, omdat hij nu eenmaal uit het soort milieu afkomstig was dat er dergelijke denkbeelden op na hield.

Maar een vader, die zijn afkomst verloochende en zijn ouders en verdere familie had afgezworen omdat ze te min waren, nee, daar kon ze geen respect voor opbrengen.

Ze liep langzaam naar de deur. Ze wilde nu weten hoe het allemaal in elkaar stak. Wat kon ze doen?

Beginnen bij haar moeder, die zou ongetwijfeld meer weten.

Ineens stond ze stil. Haar moeders familie zou nooit ingestemd hebben met dit huwelijk als vader inderdaad van arbeidersafkomst was.

Ze blies langzaam haar adem uit toen ze de deur achter zich sloot.

Bij moeder hoefde ze niet te beginnen, die zou ook nooit toegeven dat ze zoiets wel wist.

5

EEN WEEKJE LATER KWAM MEVROUW BERNARDS WEER NAAR BENEDEN om in vol ornaat in de deftige salon plaats te nemen. En de misère begon meteen, dacht Lotte. Er was van alles mis met de gang van zaken. Het was stoffig, de hal was smerig, het eten was niet goed bereid, het serviesgoed was niet schoon. Kortom, er deugde letterlijk niets van de huishouding. 'Ze kon ook geen dag ziek in bed liggen of dat luie personeel van tegenwoordig liep er meteen de kantjes af,' zei moeder met afschuw. 'Dat hadden ze vroeger eens bij haar moeder, de hofdame moeten presteren.'

Het personeel dat net een beetje ontspannen door het huis begon te lopen, verstarde weer. De meisjes slopen op hun tenen door het huis om vooral niet op te vallen. De schrik lag op het gezicht als ze de schrille stem bevelen hoorden roepen.

'Ik wou dat ze vandaag nog afreisde naar zo'n kuuroord,' verzuchtte het jongste meisje van vijftien hardop in een spontane bui op een middag vlak voor het eten. Annie maakte een verschrikte beweging. Lotte stond achter het meisje. Ze kwam net van buiten en droeg haar dure wollen mantel met het bijpassende hoedje nog. Ze was even naar de stad geweest. Het meisje, weinig meer dan een kind, dook in elkaar en begon te beven. Met vuurrood uitgeslagen wangen stamelde ze een excuus en begon te huilen. Dit kostte haar het werk, besefte ze.

Lotte haalde de schouders op en liep door. Het was haar de moeite van een terechtwijzing niet eens waard, want het kind had gelijk, dacht ze. Moeder was weer beter en dat merkte iedereen in huis.

'Nou, daar kom je goed mee weg,' hoorde ze Annie nog sissen.

Lotte sloot de deur achter zich en haalde diep adem. Ik ben het wel met het kind eens, dacht ze. Van mij mag moeder ook afreizen naar haar favoriete kuuroord. Het is toch niet te harden en ik blaf wel terug. Maar zo'n kind dat nergens schuld aan heeft te behandelen als een hond. Dat moeder toch niet eens even nadenkt.

Of zou ze zo weinig besef hebben van haar omgeving en haar mede-mens?

Ik kan wel eens een balletje opwerpen, richting Baden Baden. Daar schijnt de koningin ook wel eens te komen. Daar is moeder heel gevoelig voor. Wie weet vertrekt ze binnen de kortste keren.

Lotte liep door de hal, hing haar mantel aan de kapstok en legde de paraplu in de daarvoor bestemde bak. Toen liep ze langzaam naar de salon.

'Waar was je?' klonk het ontevreden. 'Ik zit de hele ochtend alleen met dat personeel en ik ben nog maar half genezen. Nou, dat is gezellig; dat kan ik je wel vertellen.'

Lotte keek haar moeder zwijgend aan. Alsof het gezellig is om bij jou te zitten, dacht ze bijtend.

'Waar was je naartoe?'

'De stad in,' zei ze achteloos.

De wenkbrauwen werden hoog opgetrokken. 'Zo? Wat had je daar te zoeken?'

Lotte keek op. 'Is het verboden om de stad in te gaan?' wilde ze weten. 'Maar als u zo graag mijn gangen controleert, wil ik het u wel zeggen. Ik was naar de dokter.'

'Dokter Van het Zand?'

'Nee, die andere, dokter Bernards. Daar heb ik iets meer vertrouwen in.'

Het gezicht van de vrouw tegenover haar vertrok. 'Die vent? Die komt hier nooit meer binnen de deur; dat beloof ik je.'

'Waarom niet?' vroeg Lotte ineens rustig.

Mevrouw Bernards sprong op. 'Dat hoef ik je niet te vertellen. We zijn aan onze stand verplicht.'

'Die stand van ons stelt heel wat minder voor dan u doet voorko-men, moeder,' zei Lotte ijzig. 'Leg mij eens uit waarom u mij vertel-de dat vader niet naar Den Haag moet gaan? Wat bedoelde u daar-mee?'

'Dat heb ik nooit gezegd...' kwam het heftig.

Lotte keek haar moeder vol aan. Misschien had ze gehoopt dat ik er geen aandacht aan zou besteden, zoals ik meestal geen aandacht aan haar woorden besteed.

'Moeder, u mag het mij vertellen, u mag ook zwijgen. Maar dan ga ik zelf op onderzoek uit. Ik houd niet van geheimen en niet van verrassingen. Die assistent van de huisarts herinnerde u aan iets. Hij weet veel meer van uw familie. Dat brengt een hoop onrust in uw bestaan, daarom wilt u hem niet meer zien, nietwaar? Wat weet die man van u? Ik kan het hem zelf ook vragen, al heb ik dat nog niet gedaan.'

'Dat verbied ik jou.'

Lotte keek haar moeder verwonderd aan. 'Verbieden? Waarom, zijn er geheimen te verbergen?'

'Wat zou die man kunnen weten? Met dat soort volk gaan wij niet om. Dat volk is altijd afgunstig geweest op de betere stand, daar is de Franse Revolutie door ontstaan...'

'Honderdvijftig jaar geleden werd de adel in Frankrijk naar de guillotine gestuurd. Niet omdat het volk zo afgunstig was, maar omdat het volk uitgezogen en uitgeperst werd door diezelfde adel. Daar is niets bij om trots op te zijn, moeder. Ik zou me schamen als ik dat soort lieden in mijn voorgeslacht had en ze zitten er in, dat beweert u altijd.

De meeste adellijke lieden van tegenwoordig zijn de rijke lieden uit de vorige eeuw, die zich financieel een titel konden permitteren. Honderd jaar geleden sprak men over die mensen op dezelfde denigrerende toon zoals u nu over de textielfabrikanten van Twente spreekt: 'nieuwe rijken, nouveaux riches'. En nu we het er toch over hebben: wat wilde die dokter duidelijk maken met zijn opmerking dat 'men' die familie van u goed kende in Den Haag?'

Mevrouw Bernards werd bleek en wendde het hoofd af.

Lotte zag het en wist dat moeder niet meer aanspreekbaar was. Ze zou gewoon niet meer luisteren. Ja, moeder, je hebt een rebelse dochter en dat komt voor een groot gedeelte door dat Belgische internaat dat zo goed bekend stond, en waar alle jongedames uit de hoge milieus van Nederland en België naartoe gingen. Daar had ik een lerares die ons, meisjes uit dat gegoede milieu, een andere kijk op het leven probeerde te geven en daar is ze wat mij betreft goed in geslaagd. Ze liet ons zien wat die ouwe adel werkelijk was en hoe die adel zo rijk en machtig was geworden.

Die ons, wereldvreemde poppetjes van rijke ouders, liet zien dat onze privileges ten koste van die gewone arbeiders gingen en ons rechtens niet eens toekwamen, maar gewoon toegeëigend zijn.

Die lerares had jij ook moeten hebben moeder, misschien was je dan wat menselijker geweest... Ik geef toe, het heeft ook een paar jaar geduurd voor wij, die deftige jongedames, leerden dat er andere werelden bestonden en dat wij daar ook ooit eens in terecht konden komen, misschien wel eerder dan ons lief was.

Zij leerde ons dat onze deftige en rijke omstandigheden meer geluk dan verdienste is. Ik weet van een van die joffers, zoals we spottend genoemd werden, dat ze bijna in de goot terechtkwam. Uitgerekend degene, die ervan overtuigd was dat zij een beter mens was dan dat 'plebs'.

Het begon met een winkeldiefstal waarbij ze betrapt werd. Ze werd van school gestuurd. Wat waren haar ouders kwaad op de school die hun dochter zo zwaar bestrafte om een 'futiliteit'.

Ze deed in die jaren alles wat de school en de wet verboden hadden. Tot ze een jonge knaap, ver beneden haar eigen milieu, verleidde. Dat deed ze wel vaker, zei ze triomfantelijk. Ze sloop bij nacht en ontij van het schoolterrein en kwam terug met verhalen over gebeurtenissen waar deftige meisjes niets van behoorden te weten. Nu zou ik zeggen: het was een jonge vrouw met de mentaliteit van de straat, een arbeidersmeisje dat zich zo gedroeg zou een slet genoemd worden, maar in onze kringen heet dat anders nietwaar? In onze deftige wereld komen geen losgeslagen vrouwen voor, ze zijn hoogstens excentriek. En als het uit de hand loopt worden ze naar het buitenland gestuurd om daar een kind te krijgen en het daar ergens onder te brengen, zodat niemand er iets van weet.

Lotte correspondeerde nog steeds met die lerares, al was ze ondertussen gepensioneerd. Moeder was niet op de hoogte van die correspondentie, ze zou het verboden hebben.

Lotte glimlachte voor zich uit.

Haar moeder zag het en zei meteen venijnig: 'Ik wil niet dat je bij die dokter over de vloer komt.'

Je vraagt niet eens wat ik daar te zoeken heb, dacht Lotte bevreemd. Ik kan toch ook wat onder de leden hebben? Ze gaf geen antwoord.

'Die man zou zijn plaats moeten weten,' beet haar moeder vijandig. Lotte stond op. 'Ik denk dat hij heel goed zijn plaats weet. Misschien nog wel beter dan u.'

De vrouw hief de dunne armen ten hemel. 'Ik begrijp niet waar jij op lijkt, maar zeker niet op een dochter uit de gegoede stand. Wie heeft jou die manieren bijgebracht?'

Lotte haalde de schouders op en liep naar de deur. Jijzelf moeder, jij hebt me die onbeschoftheden bijgebracht en ik moet er nog alle dagen moeite voor doen om ze af te leren.

Ze zag hoe haar moeder het raam uitkeek, witter dan normaal. Hoe ze nerveus op haar lippen beet en haar handen in elkaar wrong.

Ja moeder, je verbergt iets, dat is wel duidelijk. Wat verberg je, want ik begrijp er niets van. Waarom zou jij je zenuwachtig moeten maken over je familie in Den Haag?

Wie zal daar in Almelo wakker van liggen? Hooguit zullen ze zeggen dat jij eens wat minder hoog van de toren moet blazen. Maar dat zeggen ze nu ook al.

Ik heb die dokter, waar jij zo bang voor bent, niets gevraagd. Ik heb hem zelfs niet eens gesproken. Ik ben niet in die wachtkamer in dat deftige doktershuis gaan zitten. Ik ben gewoon weer naar huis gegaan.

Toen het erop aankwam wilde ik het niet weten. Ik ben misschien wel net zo bang als jij voor de waarheid, moeder. Want wat zal die ons brengen. Het kan niet veel goeds zijn.

Annie Letteboer had de deur achter Lotte dichtgedaan toen die naar de hal liep en keek het dienstmeisje stroef aan. 'Je komt er heel goed mee weg, zei ik,' zei ze streng. 'Als mevrouw die woorden had gehoord...'

Het dienstmeisje knikte ademloos en enigszins opgelucht. Stel je toch voor dat ze naar huis had gemoeten met de boodschap dat ze was ontslagen. Vader was al ontslagen op de fabriek, het ging daar zo slecht de laatste jaren. Tientallen arbeiders waren al op straat komen te staan. De wereldhandel was in elkaar gestort, honderdduizenden mensen zochten werk in Nederland, om over Europa en Amerika maar niet eens te praten. Het was nog geen tien jaar geleden dat veel mensen vertrokken naar Amerika, want daar hadden ze een betere toekomst. De emigratie was helemaal in elkaar gestort. Het was in Amerika even slecht als hier. Daar was de narigheid zelfs begonnen in 1929.

Haar jongste broer Piet had nog werk en dus ook een loon, en zij bracht ook nog een paar centen thuis, zoals vader zei. Vijf gulden in de week plus de kost verdiende ze hier. Maar het scheelde een slok op een borrel dat ze die centen kregen, vond hij, al kwam er geen borrel thuis op tafel. De huur en de turf konden er van betaald worden, zodat ze warm en droog zaten. Als ze hier weg moest om een onnadenkende opmerking zou je ze thuis horen.

Haar ouders waren vorig jaar al zo blij dat ze niet in dit huis hoefde te wonen, maar elke avond naar huis kwam. Dat scheelde een paar gulden meer in de week die ze thuisbracht.

Dineke snifte nog even na en Annie draaide zich naar het fornuis. Het kind was ook nog maar vijftien jaar oud. Annie wist hoe zeer het loon van het meisje thuis nodig was. Maar ze moest wel leren beter op haar woorden te letten.

Dineke ging even zitten aan de tafel en Annie liet haar begaan. Het was toch tijd voor een mok koffie.

Ze zette een mok neer voor het meisje en grinnikte ineens. 'Alla, meid, het is goed gegaan, maar let in het vervolg op.'

Dineke knikte dankbaar en tastte naar de mok.

'Hoe is het nou met je zuster?' vroeg Annie belangstellend. Dineke had verteld dat haar oudere zuster naar de dokter van de fabriek was geweest. Ze hoestte zo erg en gaf bloed op. Ze waren bang voor tbc. 'Ze zeiden dat Agnes naar die nieuwe dokter moest gaan, die assistent van dokter Van het Zand. Die zit soms ook in het ziekenlokaal van de fabriek om de patiënten te helpen.'

Annie keek ervan op. Wat was die arts toch een rare sinjeur, dacht ze. Assistent van een rijkeluisdokter en dan ook de arbeiders gaan behandelen. Dat vond die Van het Zand nooit goed. En toch... die man deed het gewoon. Waarom zeiden die rijke lui daar niets van?

'Agnes is meteen naar die dokter gegaan. De vaste dokter van de fabriek is geen prettig iemand. Die denkt altijd dat een arbeider niks mankeert zolang er nog twee benen, twee armen en een kop aan zitten.' Het meisje boog voorover. 'Agnes moet morgen naar het ziekenhuis, naar zo'n specialist. Dat heeft dokter Bernards meteen in orde gemaakt. Hij heeft zelfs voor haar getelefoneerd met het ziekenhuis.'

Een vent met hart voor zijn patiënten, dacht Annie verbaasd. Waar kom je dat nog tegen voor een arbeider?

Dineke had wel gelijk met haar opmerking over de fabrieksdokter. Daar zat even weinig bij als bij die Van het Zand. Een arbeider moest doodziek zijn als hij de stap waagde zich op het spreekuur van de fabrieksarts te melden.

'Kind, wees een beetje voorzichtig. Als het tbc is, moet je dat maar niet vertellen aan mevrouw. Die ontslaat je meteen.'

'Maar dan moeten we allemaal gekeurd worden,' stamelde het meisje. 'En dan weet mevrouw het ook.'

Annie knikte nadenkend. Ja, dat was maar al te waar. In zo'n geval werd iedereen opgetrommeld om naar het ziekenhuis te komen, de buren, de kennissen en vooral het eigen gezin.

Het onderzoek was net een olievlek dat zich uitstrekte over een grote groep mensen. Misschien viel het allemaal nog mee. Maar bloed opgeven was geen best teken. Voorlopig moesten ze maar eens afwachten.

Lotte liep die middag opnieuw naar de winkelstraat in Almelo. Moeder was in bed gekropen, ze voelde zich ziek, klaagde ze. Haar man kwam pas laat in de avond thuis, had hij aangekondigd. De hele dag was hij bezig op de rechtbank en daarna zou hij in de herensociëteit een diner bijwonen.

Komt er weer een belangrijk iemand langs, vroeg Lotte zich af. Iemand die hem kan helpen weg te komen uit deze stad? Hij maakt er de laatste tijd veel werk van, merkte ze. Er kon geen bijeenkomst zijn waar een of andere hotemetoot kwam, die iets van invloed had of meende te hebben, of vader liet zich zien en maakte geheid contact met die figuur.

Wil hij zo graag weg uit deze stad?

Ze wandelde langs een paar winkels en bekeek de etalages. Geen echt mooie kleding, dacht ze. Al had ze vaak gezien hoe meisjes van de fabriek zich verdrongen voor de japonnen, die zij nooit zouden kopen. Te duur en te deftig voor hen.

Als Lotte ooit zou trouwen kwam haar japon ergens uit een van de grote steden van een echte ontwerper. Ach, niet aan denken meid, dat is helemaal geen onderwerp voor jou.

Ze liep verder en werd aangesproken door een oud-klasgenoot, die ze net zo lief niet had ontmoet. Toen was ze nog een stuk hooghartiger dan later, dacht Lotte soms. Soms nam ze het zichzelf kwalijk, maar soms dacht ze ook: ik wist toch niet beter.

De jaren van het internaat lagen na die schooltijd in Almelo. Ze had de jonge vrouw zelden of nooit weer gesproken. Was ze niet getrouwd met een arts, die werkte in het ziekenhuis?

Lotte bleef even beleefd staan praten en probeerde zich toen uit de voeten te maken met de opmerking dat ze druk was. Moeder was ziek geweest en verwachtte haar snel thuis, zei ze haastig.

De jonge vrouw keek haar verwonderd aan. 'O, ja? Je vader is toch thuis?' kwam het toen verbaasd. 'Ik hoorde dat jouw vader niet meer op de rechtbank is.'

'Mijn vader?' echode ze. Vergeten was haar opmerking dat ze snel verder moest. Ze had ineens geen haast meer. Vader was thuis? Hoe kwam ze daarbij? Vader was alleen maar thuis als hij werkte aan zijn rechtszaken.

De jonge vrouw staarde haar met open mond aan. 'Ja, zo noemen ze het, maar hij is vorige week gewoon geschorst als rechter. Ze stellen een onderzoek in naar hem. Hij schijnt gesjoemeld te hebben. Dat weet ik van mijn vader, die is advocaat zoals je weet.'

Ja, dat wist Lotte. Advocaat, net even een streepje minder dan een rechter. Daarom maatschappelijk niet aanvaardbaar voor rechter Bernards en zijn adellijke vrouw.

Vader ging elke morgen voor dag en dauw van huis en kwam laat terug. Waar zat hij de hele dag als hij niet op de rechtbank was? Hij was nog nooit zo uithuizig geweest als de laatste dagen nu moeder ziek was. Meestal was hij wel een of meerdere dagen per week thuis en zat te werken in de bibliotheek. Dat deden de meeste rechters, ze bereidden hun zaken voor in hun eigen kantoor thuis.

'Er gaan bepaalde geruchten,' zei het meisje tegenover haar.

'Hoezo, geruchten?' vroeg ze dringend.

De ander had er geen bezwaar tegen om Lotte het een en ander mee te delen. Vroeger op school was ze bij die rijke nuf amper in tel. Haar vader was geen advocaat die rijke klanten had. Haar vader stond bekend als een rooie, een socialist. Hij had zelfs in de gemeenteraad gezeten voor de rooien. De meeste kinderen van gegoede komaf lieten haar links liggen.

Rechter Bernards kon zijn neus optrekken voor die man.

'Nou, ze zeggen dat je vader grote moeilijkheden heeft. De politie schijnt een onderzoek in te stellen naar bepaalde zaken, wordt er beweerd. Er wordt gepraat over klassejustitie en rijke misdadigers bevoordelen en vooral over corruptie.'

Lottes mond zakte open. 'Dat kan niet,' bracht ze uit.

De ander haalde schouders op. 'Dat wordt rondgebazuind en aangezien zijn rechtszittingen worden waargenomen door andere rechters zal er toch wel iets van waar zijn.'

De jonge vrouw liep snel door, een beetje verbaasd, maar ook triomfantelijk. Vroeger wilde je me nooit kennen, verwaande trut. En nu zit jij met een vader die het goed verknald heeft. Hij schijnt al jarenlang arbeiders te koeioneren en rijke stinkerds te bevoordelen. Dat ging goed opvallen. Het doet je net goed, ik gun het je.

Ik had je kunnen vertellen dat hij al twee keer op het politiebureau is verschenen voor een verhoor. Ze verdenken hem van meer dan een rechtszitting waarbij hij zich heeft laten omkopen. Hij schijnt vaker zijn vriendjes de hand boven het hoofd te hebben gehouden en afspraken met ze te hebben gemaakt over de strafbepaling.

Zoek het zelf maar uit, dame, maar ik weet wel dat je weldra zult vertrekken uit Almelo, met je moeder erbij. Het zou me niet verbazen dat je deftige moeder zelfs zonder haar man zal vertrekken.

De stad gonst van de geruchten, maar jij zult daar in je ivoren toren van een dure villa niets van gemerkt hebben.

6

LOTTE GING VERBIJSTERD NAAR HUIS. ZE MERKTE NIET DAT MEN HAAR nakeek en dat men elkaar stiekem aanstootte, en naar haar verdwijnende gestalte knikte, en haastig begon te fluisteren.

De dochter van Bernards. Nou, die zou de laatste dagen wel wat hebben om over na te denken.

Dacht je dat? Dat soort mensen denkt alleen maar aan zijn eigen zaken. Gewoon volk bestaat niet voor ze. Het doet ze wel eens goed om te merken dat ze toch niet alles kunnen doen wat ze uitdenken. Lotte liep blindelings naar huis. Vader was in moeilijkheden, zei haar oud-klasgenoot. Hoe kon haar vader geschorst worden op de rechtbank? Hoe konden al zijn zittingen worden overgenomen door de andere rechters? Hij was de eerste rechter, hij deed altijd de zwaarste zaken. Wat had hij dan toch uitgehaald?

Hij was arrogant en uit de hoogte, ook vanachter de groene tafel. Ze had meer dan eens vernomen en zelfs gelezen in de krant dat er opmerkingen werden gemaakt over de verregaande arrogantie van rechter Bernards. Hij kon verdachten de mantel uitvegen op een manier, die op het onbeschofte af was.

Maar hij was strikt en recht in de leer, misschien wel te strikt. Hij vonniste zwaar, daar stond hij voor bekend en vooral gewone mensen, die in de fout gingen, hadden een hekel aan hem. De advocaten ook, die keken meteen somber als ze hoorden dat rechter Bernards zou voorzitten.

Die hooghartige houding had hem veel vijanden bezorgd. Een paar jaar geleden had iemand een steen door de ramen van de villa gegooid uit woede over een vonnis. De dader was nooit ontdekt en de rechter had woedend gezegd dat de politie het niet goed had gezocht. Zelfs onder de agenten van politie was hij niet bepaald gezien.

De gevaarlijkste vijanden gooiden geen stenen door de ramen, die hadden sluwere methoden om hem aan te pakken, besefte Lotte.

Had iemand een valstrik voor hem gespannen?

Had het soms iets te maken met die stamboom van hem, dacht ze toen. Die klopt niet, daar loog hij duidelijk over. Hij was, gezien de namen van zijn ouders, waarschijnlijk van heel gewone afkomst. De naam Bernards stond ook niet garant voor rijkdom. Dat was een heel gewone, alledaagse naam.

Maar vader was niet van gewone afkomst, dan was moeder nooit met hem getrouwd, dat was zeker. Waarschijnlijk was de familie van vader geen oud geld, maar nieuw geld. Nou en, wat dan nog?

Ach meid, iedereen liegt over zijn afkomst, iedereen maakt zijn afkomst mooier dan het is. Zelfs een wever in de textielfabriek beweert dat hij van rijke afkomst is, maar dat hij werd bedrogen door familieleden die hem zijn erfdeel ontfutselden. Ach die verhalen waren zo bekend.

Wie zou er wakker van liggen als de rechter beweerde dat hij van een deftige familie afstamde, terwijl hij dat niet deed? Dat had met zijn werk als rechter niets te maken. Als hij geschorst was, had dat te maken met zijn functie als rechter.

Moeder, dacht ze ineens. Wist die hiervan?

Welnee, die wist al jaren niet meer wat haar man buiten de deur deed. Het interesseerde haar ook niet.

Langzaam liep Lotte de trap op naar de voordeur en besefte ineens dat ze de sleutel niet mee had genomen. Ze moest achterom. Dat deed ze vaker, dat maakte ook niets uit. Ze ging vast niet klingelen om binnen gelaten te worden.

Annie, schoot het door haar heen. Ik moet haar toch eens polsen over dat verhaal. Als er geruchten gaan over mijn vader, dan weet zij dat.

Ze liep de trap weer af en beende langs het keurig onderhouden straatje naast het huis. Geen stukje groen mos te zien. De man die de tuin onderhield zorgde daar wel voor en anders de dienstmeisjes wel. Die schrobden elke week de straat met zeepsop.

Ze opende de zijdeur en liep naar binnen. Ze hoorde Annie in de keuken rommelen en keek om de deur. Annie keek op van haar werk. 'O, de juffrouw,' schrok ze.

'Sleutel vergeten,' beduidde ze en liep door, hing haar mantel aan de kapstok en wilde naar de salon lopen, maar ineens draaide ze zich weer om. Annie was alleen. De twee dienstmeisjes waren elders in huis aan het werk.

Lotte ging aan de brede keukentafel zitten. 'Annie, ik hoorde een raar praatje in de stad,' begon ze pardoes.

Annie fronste de wenkbrauwen, iets van argwaan kwam in haar heldere ogen.

'Wat wordt er gezegd over mijn vader?'

Annie slikte iets weg. De roddels waren doorgedrongen tot de deftige villa aan de mooie laan, dacht ze. Wat moest ze doen, proberen het te ontkennen, er omheen draaien? Ze kende de juffrouw goed genoeg om te weten dat die door zou zeuren.

Ze kuchte kort. 'Het gewone geroddel, juffrouw. Negeren, dat is het beste.'

Lotte schudde het hoofd. 'Nee, er is iets aan de hand. Zeg op, wat is er waar van het verhaal dat mijn vader niet meer als rechter achter de groene tafel zit, dat hij geschorst is?'

Annie boog zich over haar werk. Ze kreeg een kleur.

'Nou?' drong Lotte aan. 'Annie, jouw broer werkt bij de rechtbank. Als er eentje op de hoogte is, ben jij dat.'

'Ze zeggen zo veel, juffrouw,' stamelde ze bijna. 'Hij zou sommige misdadigers een te lichte straf hebben gegeven in ruil voor geld. Misdadigers, die geld te bieden hebben, bedoel ik.'

Het werd stil en Lotte blies langzaam de adem uit. Zonder verder commentaar liep ze naar de grote hal en ging diep in gedachten naar de salon.

Dat kon niet waar zijn, dat waren leugens, dacht ze. Vader zou nooit een misdadiger bevoordelen. Hij keek diep neer op dat gespuis, zoals hij het noemde. Als het aan hem lag zou de doodstraf weer ingevoerd worden. Dat had hij meer dan eens verkondigd. De misdaad zou dan een stuk minder worden en dat plebs van de straat zou ook leren dat het beter was de vingers thuis te houden.

Toen Lotte in latere jaren eens betoogde dat er in landen waar de doodstraf wel werd uitgevoerd, relatief meer moorden werden gepleegd dan in Nederland, werd haar te verstaan gegeven dat ze niet wist waar ze over praatte. Ze was geen rechtsgeleerde.

'Moord heeft met emotie te maken,' pleitte ze. 'Niemand wordt als misdadiger geboren.' Dat waren de woorden van haar lerares.

Haar vader schoof haar mening aan de kant. Misdadigers werden wel degelijk geboren als zodanig. Arme lui waren allemaal potentiele dieven. Rijke mensen stalen niet.

Zit het daar op vast, schoot het door Lotte heen. Misdadigers die geld hebben... Had hij zich laten omkopen? Welnee, niet haar vader. Vader was conservatief en reactionair in zijn denken. Dat hoorde bij zijn stand... Stand? Welke stand? Het was maar de vraag of er enige stand bij haar vader was te vinden. Misschien was hij maar een gewone arbeidersjongen.

Hoe kwam hij aan die ouderwetse denkbeelden? Het was al bijna honderd jaar bekend dat filosofen en rechtsgeleerden andere meningen waren toegedaan.

Werk en school waren goede bestrijders van misdaad, rijkdom had daar niets mee te maken.

Dat had hij tijdens zijn rechtenstudie toch ook geleerd?

Ze vond haar moeder in de salon. Ze bladerde verveeld in een tijdschrift en keek op toen Lotte binnenkwam. 'Waar was je nou weer?' vroeg ze ontstemd. 'Alweer de stad in?'

Lotte knikte kortaf. Ze ging zitten en keek haar moeder recht aan. 'Moeder, ik vraag het nog een keer. Wat bedoelde u met die woorden over vader: 'Hij moet niet naar Den Haag gaan. Dat is niet goed.' Kom me niet aan met de opmerking dat u dat nooit gezegd hebt. U hebt het gezegd, vorige week toen u behoorlijk koortsig in uw bed lag.'

Iets in de stem van de jonge vrouw waarschuwde de vrouw in de comfortabele leunstoel. Lotte liet zich niet met een kluitje in het riet sturen.

Met een opgeheven kin zei ze nors: 'Je kunt wel doorzeuren, maar ik heb dat niet gezegd.'

Lotte knikte. 'Goed, moeder, dan ga ik zelf op zoek. Ik heb al het nodige ontdekt en vernomen. Tussen haakjes, weet u dat vader al een week lang niet meer welkom is op de rechtbank?'

Het gezicht van de oudere vrouw veranderde. Het werd een groot vraagteken. Toen kwam er een spottend lachje om de mond. 'Waar zou hij anders zitten dan op de rechtbank?'

'In de herensociëteit, schat ik en ik zou nog wel een opmerking kunnen maken, maar die is minder netjes.'

'Schei asjeblieft uit. Ze roddelen altijd over ons, dat is al jaren bekend.'

Lotte haalde de schouders op. Ze schonk een kopje thee in en ging weer zitten. Moeder had nog thee naast zich staan, zag ze.

Er viel een nare stilte, maar geen van beiden deed enige moeite om die te verbreken.

Lotte dronk zwijgend haar kopje leeg en zette het terug op het schoteltje. Ik ga op onderzoek uit, moeder. Morgen begin ik meteen. Ik heb twee wegen te bewandelen. Die merkwaardige dokter...

O, ik hoop dat ik me hautain en uit de hoogte genoeg kan opstellen tegenover hem. Die man heeft iets... Lotte, hou op, je bent aardig ondersteboven van die man. Vanaf het moment dat hij hier in de hal stond in die belachelijke zwarte jas en die bemodderde schoenen aan zijn voeten. Toch zal je hem onder ogen moeten komen. Hij kan me uitleggen wat hij wilde zeggen, met zijn scherpe terechtwijzingen aan moeders adres.

Het was laat in de avond toen rechter Bernards de sleutel in het slot van de voordeur stak. Er brandde geen licht meer in de hal en in de salon. Het personeel was al naar huis.

De rechter gromde er soms ontevreden over. Vroeger had je personeel dat dag en nacht klaarstond. Tegenwoordig werden ze in de watten gelegd. Die vakbonden kregen te veel invloed, ze eisten maar en eisten maar.

Niet meer dan negen uur per dag werken. Een aantal betaalde, vrije dagen in het jaar... Wat een onzin, personeel was personeel, die waren in de wereld om te dienen. Vakantiedagen, noemden de bonden het. Waar zouden die arme sloebers van op vakantie moeten? Ze verzopen hun geld en waren tc lui om fatsoenlijk aan te pakken.

Hij had geen inwonend personeel, dan moest hij ze ook nog huisvesten, had hij met afkeer gezegd. Hij wilde ook niet met dat gewone volk onder één dak wonen.

Het had als nadeel dat ze om acht uur in de avond naar huis gingen, en soms nog eerder. Vooral Lotte had er slag van om de meisjes met de feestdagen vroeger weg te sturen. Dat was nergens voor nodig. Ze kregen een loon uitbetaald om te werken, niet om te luieren.

De rechter stootte zijn voet gevoelig tegen de paraplubak en wist met moeite een verwensing binnen te houden. Hij draaide het lichtknopje om en trok met een onbeheerste beweging zijn overjas uit om hem met een grote zwaai aan de kapstok te hangen.

Hij schrok op toen er een deur openging. Lotte stond in de opening. Ze had in de kleine bibliotheek gezeten bij gesloten gordijnen en een schemerlamp.

'U bent niet vroeg,' constateerde ze rustig.

'Nee, het diner liep uit.'

Ze knikte kort.

'Ik ga meteen door naar boven. Het is morgen weer vroeg dag,' zei hij korzelig en wilde de brede trap oplopen naar boven.

'Vader, er gaan geruchten door de stad,' klonk het ineens achter zijn rug. Hij bleef even doodstil staan, toen keerde hij zich om. 'Het is allemaal gelogen,' blafte hij over zijn schouder.

'U weet niet welke geruchten er gaan. Hoe kunt u dan zeggen dat ze gelogen zijn?'

'Doe niet zo bijdehand, meisje. Er wordt genoeg gekletst over ons. Het is allemaal afgunst.'

Ze schudde het hoofd. 'Daar ben ik niet zeker van. U zou geschorst zijn als rechter,' zei ze met een gemaakt rustige stem. 'U zou zelfs op het politiebureau hebben gezeten voor een verhoor.'

'Dat is gelogen,' barstte hij los. Hij draaide zich wild om en vloog de trappen op.

Lotte keek hem na en haalde diep adem. 'Nee, vadertje, ik ben er vrij zeker van dat het niet gelogen is. Jij reageert alsof je gestoken bent door een compleet wespenvolk,' mompelde ze voor zich uit.

Ze liep terug naar de kleine salon, draaide het licht uit en merkte toen pas dat ze het koud had. Ze had kippenvel op de armen staan, al kwam dat niet alleen maar van de kilte in huis. De verwarming was allang uitgedraaid, de warmte was al verdwenen uit de kamers. Ze sloot de deur achter zich en draaide het licht uit in de hal. Voorzichtig ging ze op de tast naar de trap en liep naar boven, diep in gedachten en ongerust over de dingen die zouden kunnen gaan gebeuren en die al gebeurd waren. Daardoor hoorde ze niet dat de deur van haar moeders kamer zachtjes werd gesloten...

De volgende dag zag ze haar vader niet. Hij was al vertrokken voor Annie binnenkwam, zei die verwonderd.

'Ik kwam hem tegen op de stoep,' zei ze tegen de dienstmeisjes die ook net binnenkwamen. 'Ik dacht een ogenblik dat ik me een uur vergist had, maar hij zag me amper.'

Er viel een begrijpend zwijgen.

Natuurlijk was ze amper gezien door de rechter, die zag alleen maar mensen van zijn soort. De rest telde immers niet mee.

Toen zei Annie, nadat ze zich ervan overtuigd had dat niemand kon meeluisteren: 'Ik denk dat de juffrouw hem het vuur na aan de schenen heeft gelegd. Ze vroeg gisteren naar al die verhalen, die over hem gaan. Ik heb maar niets verteld. Ze heeft alleen maar vernomen dat hij is geschorst bij de rechtbank, maar al die andere zaken niet.'

Dineke knikte heftig. 'Mijn vader had het er gisteravond nog over. Hij kon wel eens ontslag krijgen als rechter, denkt mijn vader.'

'Ik krijg bijna medelijden met de juffrouw. Ik gun het mevrouw van harte, maar juffrouw Lotte heeft het niet verdiend,' vond het tweede dienstmeisje.

De drie knikten instemmend. Toen gingen ze snel aan het werk, er was immers veel te doen.

Lotte ging tegen halfelf de deur uit. Ze zweeg tegenover iedereen waar ze nu 'weer naar toe wilde' zoals haar moeder klaagde.

Moeder had de hele ochtend met een strak gezicht aan de salontafel gezeten. Nee, ze had geen trek in eten. Nee, ze wilde geen kopje thee. Ze wilde niets.

Lottes voeten droegen haar naar de praktijk van dokter Van het Zand. Het spreekuur bij de dokter was bijna afgelopen. Het zou niet druk zijn geweest. Dokter Van het Zand ontving weinig patiënten thuis. Hij werd ontboden bij de patiënten, bij de deftige elite van Almelo.

Lotte had vanmorgen al via de telefoon gevraagd of de jonge dokter er was en de verpleegster had dat bevestigd.

Nee, dokter Van het Zand was nog niet echt genezen van zijn aandoening. Maar ja, Lotte kende de arts, altijd paraat en hij was al naar een patiënte die zijn hulp dringend nodig had.

Lotte bedwong een grinnik en zag als het ware het uitgestreken gezicht van de verpleegster voor zich. Ze wisten beiden wel beter.

Nee, er was niemand vanmorgen voor het spreekuur, ook niet geweest, meldde de verpleegster die haar ontving. De jonge dokter ging straks nog een visite afleggen, maar het kon ook zijn dat hij er wel mee wachtte tot na de middag. Deze man liep niet zo hard voor zijn deftige patiënten. Hij scheen harder te lopen voor mensen die hem werkelijk nodig hadden. Dat laatste zei de verpleegster niet hardop.

Ze wenkte even naar de jongedame in de wachtkamer, die op de stoel met rood pluche zat. Merkwaardig dat die persoonlijk hier naartoe kwam. Meestal moesten de dokters naar hen toe.

Dokter Bernards zou wel met die dame afrekenen, dacht ze. Die houdt niet van aanstellerij en zij ziet er niet bepaald ziek uit. De jongeman in zijn witte jas keek amper op toen Lotte de behandelkamer binnenkwam en de deur achter zich sloot.

'Gaat u zitten,' zei hij bijna onverschillig.

'Ik kom niet voor een doktersvisite,' zei ze even kort.

Meteen werd het hoofd opgeheven. Verbeeldde ze het zich of trok er iets van een blos over zijn gezicht? Natuurlijk verbeeldde ze het zich, dacht ze.

Het gezicht van de man betrok. 'Zo, is dat niet juffrouw Bernards, mijn naamgenote?' zei hij lichtelijk ironisch.

'Helemaal, dokter, helemaal.' Ze ging zitten in een comfortabel leunstoeltje en vouwde haar in handschoenen gestoken handen in elkaar. Ze maakte geen aanstalten om de man de hand te reiken. Hij had waarschijnlijk zijn oordeel al klaar: ze was die rijke zich hoog boven iedereen verheven voelende rechtersdochter.

'Zegt u het maar?' Hij legde zijn pen neer en bleef haar afwachtend aanzien. 'U hebt geen gezondheidsklacht? Wat voert u dan hier naar toe?' vroeg hij formeel. Hij keek een beetje nors alsof hij het haar kwalijk nam dat zij zijn tijd in beslag nam.

'Ik wilde iets van u weten over mijn familie. U zei tegen mijn moeder dat u haar familie wel kende...' Het klonk wat schril.

Ze draaide er niet omheen, dacht hij bijna waarderend. Hij had zichzelf weer in bedwang. Hij was geschrokken toen hij haar binnen zag komen. De dure mantel, de ravenzwarte haren, de sprekende blauwe ogen. Hij kreeg het bijna benauwd. Ze stond daar toch maar ineens in de spreekkamer in levenden lijve.

Hij vouwde zijn handen, gemaakt nonchalant onder zijn hoofd. 'U weet daar zelfs niets van? Merkwaardig, ik krijg niet veel mensen over de vloer die iets willen weten over hun eigen familie. U weet toch dat uw grootmoeder hofdame bij de koningin is geweest?' Het klonk zelfs een beetje spottend, dacht hij. Val niet uit je rol man, laat haar denken dat je haar een snob eersteklas vindt. Ze maakt je af als ze in de gaten krijgt dat je onder de indruk van haar bent.

Toch een beetje afgunst, dacht ze bijna teleurgesteld. Afgeven op iemand en sneren, gaven bijna altijd afgunst aan. Dit leek er verdacht veel op. Ik had hem hoger ingeschat. Nou ja, dat is alleen maar goed voor mijn gemoedsrust.

Ze schudde het hoofd. 'Ik heb mijn grootmoeder nooit gekend,' zei ze kalm, al trilde haar stem iets. 'Mijn grootvader was al overleden voor mijn moeder trouwde. Mijn ouders zijn meteen na hun huwelijk naar Almelo gegaan en Den Haag ligt niet naast de deur.'

Hij glimlachte bijna meewarig. 'Nonsens, juffrouw. Er gaan genoeg treinen die kant uit. U bent er met een aantal uren. U hoeft niet meer met de postkoets zoals honderd jaar geleden, toen de reis drie dagen duurde. Hoe dan ook, ik heb mijn grootouders nooit gekend, ook niet van mijn vaders kant.' Het klonk scherp.

Hij keek haar zwijgend aan. 'En u denkt dat ik ze wel ken?' zei hij langzaam.

'Dat zei u toch tegen mijn moeder?' beet ze terug.

Hij zweeg een tijdlang. Hoe moest hij dat nou aanpakken, zonder haar helemaal bovenop de kast te jagen? 'Uw moeder gedroeg zich niet bepaald als een dame toen ik bij haar werd ontboden,' begon hij toen voorzichtig.

Dat doet ze nooit, dacht Lotte kriebelig. Ze denkt dat het een blijk is van hooggeborenheid en ze beseft niet dat ze gewoon onbeschoft is, zoals zoveel van haar soortgenoten, helaas.

Ze keek op. 'U was dus in uw wiek geschoten en daarom flapte u er maar wat uit...' constateerde ze toen hij bleef zwijgen.

Dat getuigt niet bepaald van klasse, zei haar hele houding. Hij voelde zich terecht gewezen.

Hij stond ineens op. 'Nee, juffrouw, ik flapte er niet zomaar iets uit en uw moeder was zich daar deksels goed van bewust. Zij kent namelijk mijn familie ook.' Hij zweeg een ogenblik. Hij moest op zijn woorden passen, dacht hij. De jongedame weet werkelijk nergens van. Anders zou ze niet zo reageren.

Toch voelde hij zich geprikkeld door haar, juist door haar arrogante manier van doen en hij verloor de voorzichtigheid uit het oog. 'U denkt dat uw vaders familie de patriciërsfamilie Bernards uit Aerdenhout is. Dat klopt niet.'

Ze knikte langzaam. Dat had ik zelf al uitgevonden dokter. Maar het hoe en het waarom weet ik niet, dacht ze.

'Het vervelende is dat ik wel tot die familie behoor. Mijn grootvader was het zwarte schaap van de familie. Hij trouwde namelijk met een dochter van een nachtwaker uit Amsterdam, en dat vergaf mijn overgrootvader hem niet. Hij werd geschrapt uit de familie, onterfd en genegeerd. Zijn nageslacht wordt niet erkend. Mijn grootvader heette Jean Frederic Bernards, op zijn Frans uitgesproken. Ik geef toe dat mijn vader en grootvader dat allang niet meer doen.'

Ze voelde iets van een schok. Dat was een van de twee laatste namen in die stamboomlijst. Daaronder waren geen namen meer vermeld. Twee broers, de een Jean Frederic, de ander Alexander. Op die gedrukte stamboom stonden geen namen meer vermeld na die twee broers.

Het leek alsof hij haar gedachten raadde. 'Mijn oud-oom Alexander was ongehuwd en stierf op de leeftijd van veertig jaar, nu al bijna vijftig jaar geleden,' zei hij rustig. 'Ik heb hem nooit gekend, mijn grootmoeder heeft hem eenmaal ontmoet, vertelde ze eens. Eenmaal was ook voldoende. Inmiddels is het geslacht uitgestorven, als je de onterfde kant niet meerekent. Ik schijn de laatste met die naam te zijn, samen met mijn zuster. Mijn vader had alleen zusters.'

Hij moet niet naar Den Haag gaan. Ze hoorde de woorden weer, die moeder fluisterde. Nee, moeder zou niets weten van de recente gebeurtenissen, waar de hele stad overheen viel. Ze kwam niet vaak in de stad en de laatste weken helemaal niet. Het personeel zou haar niet durven te vertellen dat haar echtgenoot in moeilijkheden verkeerde.

Hij keerde terug naar zijn stoel. 'Juffrouw Bernards, ik vraag me af waarom uw vader zich uitgeeft als afstammeling van een familie, die hij zelfs niet eens kent.'

Ze keek hem zwijgend aan, toen vroeg ze langzaam: 'Hoe weet u het trouwens dat mijn vader zich uitgeeft voor een lid van dat geslacht?'

Hij glimlachte. 'Juffrouw, dat heeft hij meer dan eens verteld aan dokter Van het Zand. Die vertelde mij dat al op de ochtend dat ik deze spreekkamer betrad. Ik heb onze goede dokter trouwens niets wijzer gemaakt.'

Ze knikte kort. 'Ik begrijp niet waarom dat destijds niet ontdekt is toen mijn ouders trouwden...'

Hij staarde haar een tijdlang zwijgend aan. 'Ik wel,' zei hij toen. 'Het deftige geslacht De l'Eau tot Lichtenstein is in minder dan vijftig jaar van uiterst deftig afgezakt tot helemaal niets, juffrouw. Het verbaast me eerlijk gezegd dat u daar niet van op de hoogte bent.'

7

LOTTE LIEP KORTE TIJD LATER DIEP IN GEDACHTEN OVER STRAAT. DE grootvader van de arts was het zwarte schaap van de familie, had hij verteld. De zoons Frederic Jean en Alexander stonden op de stamboom als ongehuwd, hoewel Frederic Jean dat niet was geweest en kinderen en kleinkinderen had.
Haar vader loog over zijn afkomst, hij noemde Alexander als zijn vader. Zijn ouders waren een zekere Hendrik Bernards en een Wilhelmina Meijer. Alexander was nooit getrouwd geweest en had dus ook geen kinderen. Waarom meende vader te moeten liegen? Dat kwam vroeg of laat toch uit, dat kon hij toch op zijn vingers narekenen?
Kon Lotte iets van haar vaders werkelijke familie achterhalen in Utrecht, waar hij klaarblijkelijk geboren was?
En haar moeder?
In vijftig jaar afgezakt van aanzienlijk tot niets. Van hofdame tot... wat? 'U kunt er zonder al te veel moeite achterkomen,' had de man achter het bureau kortaf gezegd. 'In Wassenaar en Den Haag kent iedereen die geschiedenis...'
Hij had niets verder willen toelichten. Hij had alleen verteld dat zijn grootvader uit de familie Bernards was gezet vanwege zijn huwelijk met een meisje van gewone afkomst, maar hij was niet tot de bedelstaf geraakt, zoals misschien was gehoopt door zijn standbewuste familie.
Grootvader had een bloeiend advocatenkantoor in Den Haag opgebouwd. De vader van de jongeman had het verder uitgebouwd tot een van de meest toonaangevende. Het kantoor was onlangs voor veel geld verkocht. De vrede was nooit hersteld in de familie, misschien wel doordat het zwarte schaap zich heel goed gered had zonder zijn familie. Zijn grootvader had de rijke familie niet nodig en zijn vader al helemaal niet.
'En toch een gewone dokter in Almelo?' vroeg ze snijdend. 'Geen

deftige praktijk voor rijke mensen of komt die nog wel?'
Hij had haar nijdig aangekeken, voelde zich op de vingers getikt.
'Juffrouw, ik ben er voor iedereen die me nodig heeft,' probeerde hij
afgemeten te zeggen.
Ze had hem zwijgend aangezien. Weer een van die mensen, die
meenden dat de wereld op hen zat te wachten. Wij zijn er voor
iedereen. Ja, ja, maar alleen wanneer het ons uitkomt en u mag
alleen maar op afspraak komen...
Ze was weggegaan zonder verder nog iets te vragen. Ze had genoeg
om over na te denken. Hij keek haar na. Toch niet het kaliber van
haar moeder en haar vader... Misschien aardde ze meer naar haar
grootmoeder, de hofdame, al had die haar vrijgevochtenheid moeten bekopen met een bult narigheid.
Hij liep naar zijn stoel. Ergens was hij opgelucht. Ze was toch anders
of wilde hij zo graag dat ze niet op die bekakte ouweluï van haar
leek?

Lotte liep langzaam naar huis.
Klopte het verhaal van die dokter? Wat was er dan met moeders
familie aan de hand?
'Hij moet niet naar Den Haag gaan... Dat is niet goed...' De woorden
van moeder zongen door haar hoofd.
Wist haar vader niets van moeders geschiedenis? Als het waar was
dat de deftige adellijke familie was afgezakt tot bijna niets, dan wist
hij dat toch ook? Dan kreeg hij het niet in zijn hoofd om rechter te
willen worden bij de Hoge Raad? Of juist wel? Om te laten zien wie
hij was, om iets van de oude luister te herstellen.
En nu was hij helemaal op een zijspoor gerangeerd. Wat was er de
afgelopen dagen, terwijl moeder zo ziek was, gebeurd in de stad?
Lotte had geen krant gezien of gelezen. Had daar misschien iets in
gestaan?
Ze moest de oude kranten van de afgelopen dagen nazien. Het
was nieuws als een rechter werd geschorst.

Annie had de oude kranten wel bewaard, zei ze aarzelend toen Lotte ernaar vroeg.

Ze scheen niet al te happig om ze tevoorschijn te halen. Maar toen Lotte er nadrukkelijk om vroeg kwam ze toch met een stapeltje kranten aan.

'Ik weet niet of het verstandig is, juffrouw,' waagde ze op te merken. 'Er staat weinig goeds in de krant, zeg ik altijd maar.'

Lotte keek op. 'Dat is de kop in het zand steken, Annie. De mensen weten er van en ze zullen niet aarzelen te vertellen wat er aan de hand is. Ik kan beter op de hoogte zijn, hoe pijnlijk het ook is.'

Annie zweeg en liep terug. Ze zuchtte. Nee, de juffrouw zou er niet blij mee zijn. Misschien vertrok ze wel naar elders om het geklets hier niet meer aan te hoeven horen. Dat zou niet prettig zijn voor haar en de overige personeelsleden.

Misschien moest Annie toch eens serieus nadenken over het aanbod van de directeur van de zuivelfabriek. Haar broer kwam daarmee. De directeur had geïnformeerd naar Annie. Hij had een baan voor haar, had hij gezegd, als huishoudster. Ze kon nog meer verdienen ook. De directeur stond bekend als een aardige vent, zijn vrouw was ook plezierig in de omgang. Annie had er een nachtje wakker van gelegen. Moest ze daar niet op in gaan? Het was een prachtkans.

Lotte vouwde de kranten open. De internationale politiek, oorlogen, hongersnoden en andere rampen schreeuwden van de bladzijden af. Het duurde even voor ze iets had gevonden over haar vader. Het stond niet eens in de editie van Almelo, maar bij het binnenlandse nieuws.

'**Rechter in de fout,**' stond er boven een artikel.

Ze schrok ervan en las het langzaam door. Een rechter, hij werd alleen met zijn initialen genoemd, had een verdachte wel erg mild bestraft voor een misdrijf waar toch enkele jaren gevangenisstraf voor stond.

De officier van justitie was meteen in beroep gegaan tegen het vonnis en bovendien had hij ronduit verklaard dat de eerwaarde rechter en de veroordeelde bevriend waren en dat de rechter zijn eigen vrienden blijkbaar de hand boven het hoofd hield.

Dat was een harde uitspraak en dat zou de officier moeten kunnen bewijzen. Dat kon hij, had hij al verklaard, en het was ook niet de enige zaak waar twijfels over waren gerezen.

De veroordeelde was een fabrikant D. uit Enschede, een 'niet bepaald armlastig man', zo werd beweerd. Voor de rest werd er niet over de veroordeelde gesproken. Het respect voor de textielbaronnen was nog altijd groot, al was het sterk geslonken door de jaren heen. De staking van enkele jaren geleden, waarbij duizenden arbeiders op straat kwamen te staan doordat de fabrikanten de handen in elkaar sloegen en hun fabrieken ook sloten, had veel kwaad bloed gezet. De staking was door henzelf uitgelokt, dat schreef de socialistische krant openlijk.

D. uit Enschede, dacht Lotte peinzend. Wie kon dat zijn. Zo veel goede kennissen hadden haar ouders niet en zeker niet onder de textielfabrikanten.

Wacht eens, het was toch niet die rijke fabrikant Doormans, die hier een tijd geleden een avond op visite was geweest? De twee mannen hadden zich teruggetrokken in de bibliotheek. Ze hadden zaken te bespreken, zei de rechter en de deuren waren stevig op slot gegaan. Daarna was de man vertrokken in zijn auto met chauffeur en het afscheid was allerhartelijkst geweest.

Was toen het een en ander bekokstoofd?

Lotte slikte even. Nee, haar vader was onkreukbaar als rechter.

Een dag later schreef de krant dat er een getuige was, die verklaarde dat hij de rechter en de verdachte een dag voor de zitting had zien praten. Dat mocht helemaal niet.

'De fabrikant was zo goed als op heterdaad betrapt bij het bestelen van zijn eigen personeel', schreef de krant openlijk. Hij had, net als andere fabrikanten een pensioenfonds ingesteld voor zijn werknemers. De werknemers droegen daar een paar centen per week aan bij. Dat had een aantal jaren geleden geleid tot fel protest. De arbeiders konden die paar centen in de week niet missen, beweerden de bonden. De maatregel was toch doorgezet ondanks de tegenstand. Er was nog niemand geweest die een pensioen had ontvangen uit dat fonds, waar ook de fabrikant zelf een bijdrage aan zou leveren. Dat had hij toegezegd en ondertekend in waterdichte contracten.

De bonden werden argwanend en eisten een onderzoek. De pot van het pensioenfonds bleek leeg. Niet alleen had de fabrikant zelf nooit iets bijgedragen, maar ook de bijdragen van het personeel waren verdwenen.

De boekhouder had verklaard dat de afgestane pensioengelden van de werknemers waren gestort op een buitenlandse rekening van de fabrikant.

De bonden waren woedend en er werd aangifte gedaan. Misschien hadden ze nog even over een staking gedacht, maar daar waren de omstandigheden niet naar. De fabrieken draaiden nog en daar waren de arbeiders blij om. Er waren al te veel loonsverlagingen en ontslagen gevallen. Het geloof in een pensioen, voor die jaren dat ze te oud waren om nog te werken, was helemaal verdwenen.

De fabrikant beweerde dat er niets oneerbaars was gebeurd, maar daar waren anderen het niet mee eens. Zijn collega-fabrikanten lieten hem vallen als een baksteen. Hij was over de streep gegaan. Loonsverlagingen, zelfs al waren ze wat dubieus, vooruit, maar de pensioengelden, betaald door de arbeiders, ontvreemden ging te ver. De fabrikanten hadden toch al de reputatie van inhalige graaiers te zijn. Overleg met de steeds machtiger wordende vakbonden was al moeilijk genoeg zonder dit soort akkevietjes.

De fabrikant werd wel degelijk vervolgd en de officier had gevangenisstraf geëist. Ook rijke mensen hadden zich aan de wet te houden, beweerde hij.

Hij moest ook wel. De bonden spraken over wetten, die blijkbaar alleen golden voor Jan met de pet en noemden de meeste vonnissen, waar rijkere verdachten bij betrokken waren, 'grove vormen van klassenjustitie'

Rechter Bernards sprak de man vrij, slechts een minimale boete moest hij betalen. Over terugbetaling van pensioengelden aan zijn personeel werd niet gesproken in het vonnis.

Het verschil tussen het vonnis en de eis was zo groot en onverwacht dat er een onderzoek werd aangekondigd. Hangende dat onderzoek was de rechter geschorst, vooral ook omdat andere zaken erbij zouden worden betrokken. Zaken waarin de rechter ook de schijn tegen zich had, en steeds weer bleken het rijke vriendjes te zijn die over de schreef gingen en er met een minimale straf vanaf kwamen, als ze al voor de rechter moesten verschijnen. Officieren van justitie zouden soms ook onder druk zijn gezet om bepaalde zaken te seponeren.

De krant schreef er uitgebreid over.

De fabrikant was meteen na de rechtszitting naar het buitenland vertrokken. Die was onbereikbaar.

Lotte legde de krant neer. Wezenloos keek ze voor zich uit.

Hoe kon haar vader zoiets doen? Hij wist als geen ander dat de wet voor iedereen gold.

Rijke mensen pleegden geen misdaden, had hij meer dan eens gezegd. Geloofde hij dat werkelijk of wilde hij niet beter weten?

Was er nog meer boven water gekomen? Annie had nog twee kranten bij het stapeltje gevoegd. 'Nog een onderzoek inzake bepaalde praktijken bij de rechtbank', stond er boven een artikeltje in de krant van drie dagen geleden.

De stad moest gonzen van het geklets, dacht Lotte. Ze kneep haar lippen op elkaar en begon te lezen.

Een jaar geleden was er iets gebeurd met een burgemeester van een stad in Twente. De man was zijn boekje ver te buiten gegaan. Hij had mensen geïntimideerd en bedreigd. Hij had huizen van arbeiders laten doorzoeken zonder dat hij daartoe gerechtigd was. Er was behoorlijk wat schade aangericht tijdens die huiszoekingen.

Vage beschuldigingen als 'communisten' en 'socialisten', die een gevaar vormden voor de openbare orde, was het verweer voor zijn optreden. Die arbeiders moesten niet zeuren, verklaarde hij. In Duitsland zouden ze naar de gevangenis zijn gestuurd.

Maar ze waren hier niet in Duitsland, vond de officier van justitie, die bekend stond als 'een rooie' en besloot tot aangifte wegens huisvredebreuk.

De burgemeester was in een gezellig onderhoud op de rechtbank, naar boze tongen beweerden met koffie en gebak, verzocht om zoiets niet meer te doen.

Een arbeider, die het lef had om de zaak aanhangig te maken, werd ontboden. Hij kreeg een zware reprimande van de rechter en werd veroordeeld tot de kosten van het geding.

De man was geen lid van een vakbond en had geen werk gemaakt van een hoger beroep. Waar zou hij het geld vandaan moeten halen? Hij was zelfs korte tijd later midden in de nacht vertrokken met zijn gezin en scheen nu ergens in Amerika te zitten. Hij kon de kosten van die rechtszaak nooit betalen, had hij laten weten.

De vakbonden waren furieus en de burgemeester had het zwaar te verduren in zijn gemeente. Zelfs de gemeenteraad keerde zich tegen hem. Ja, dat kwam omdat de verkiezingen in aantocht waren, smaalden de arbeiders.

Hij zou binnenkort opnieuw moeten worden benoemd voor een periode van zes jaar, maar dat scheen geen hamerstuk te gaan worden, had de oppositie al gedreigd.

Vroeger kon zoiets misschien door de beugel, maar tegenwoordig niet meer, briesten de bonden. En de kranten vroegen zich af of dit niet een vorm van brutale klassenjustitie betrof. 'Weer was het dezelfde rechter die het vonnis velde', schreef de krant een beetje geniepig.

Lotte voelde hoe ze trilde. Dit kon toch niet waar zijn?

Waarom liet haar vader zich hiervoor gebruiken? Voelde hij zich zo ver verheven boven iedereen dat hij dacht dat hij alles kon en mocht?

Geschorst als rechter. Het was gedaan met zijn carrière en dat in een paar dagen tijd. Nog maar anderhalve week geleden dacht hij zo naar Den Haag te kunnen vertrekken, naar de Hoge Raad. Dat kon hij voorgoed vergeten.

Hij werd nooit meer serieus genomen, zelfs al zou uit het onderzoek komen dat hij onschuldig was. Hij was aangeschoten wild geworden. Men zou hem vriendelijk verzoeken ontslag te nemen met een deftige wachtgeldregeling, in het gunstigste geval.

Was het allemaal wel waar? Was het niet gemene roddel van zijn vijanden, die hem graag languit zouden zien liggen in de ellende en de narigheid? Hij had vijanden genoeg gemaakt met zijn arrogantie en zijn neerbuigendheid, naar iedereen die volgens hem minder was dan hij, en dat waren de meeste mensen in Almelo en verre omgeving.

Als er een journalist was die dieper ging spitten in het leven van rechter Bernards kwam hij ook andere zaken tegen, die van zijn familie bijvoorbeeld. Het was een kolfje naar de hand van een journalist om te gaan wroeten in iemands privéleven.

De krant hoefde maar een keer naar die dokter te gaan en te vragen of hij familie was van de geleerde heer Bernards, en de zaak werd al gevaarlijk.

Lotte stond op. Ze liep naar het raam dat uitkeek over de achtertuin. Wat zou die dokter zeggen? In geuren en kleuren vertellen dat de rechter alles aan elkaar fantaseerde?

Dat zou haar tegenvallen.

Ze zuchtte en keek naar buiten. De tuinman was nergens te bekennen. Ze had hem al dagen niet gezien.

Had ze een tijd geleden geen opmerking gehoord van Annie, dat hij weg wilde? Hij kon meer verdienen in de fabriek. Zo gauw er een mogelijkheid kwam vertrok hij, zei hij toen. Hij had een gezin en zo goed waren de verdiensten bij de rechter niet. Daar had hij gelijk in, dacht Lotte. De rechter betaalde het absolute minimum aan loon.

De tuin zag er gehavend uit. De heg was ruw en veel te hoog, het grint sloeg groen uit en er zat veel onkruid tussen.

Lotte slikte en dwong zich terug te denken aan de actuele gebeurtenissen.

Wat nu? Ze moest in ieder geval moeder op de hoogte stellen van de allerlaatste gebeurtenissen. Ze zou helemaal in paniek raken, misschien wel hysterisch worden. Dat moest Lotte maar op de koop toe nemen.

Ze liep terug naar de gemakkelijke stoel en vouwde de kranten op. Langzaam liep ze naar de deur om haar moeder in te lichten.

Mevrouw Bernards zat kaarsrecht in haar stoel en haar gezicht was bleek, maar verder was het een strak masker. De dame viel niet flauw en werd ook niet hysterisch toen Lotte haar verhaal deed.

Ze keek haar moeder zwijgend aan. 'Wist je het, moeder?' vroeg ze toen kalm.

De vrouw in haar dure zijden japon knikte kort. 'Een gedeelte, ja. Ik was op de hoogte van die zaak met die pensioengelden. Ik heb hem nog gewaarschuwd. Ik zei nog: 'houd die man de hand niet boven het hoofd,' maar hij wist het weer beter, hij was de rechter, zoals hij zei.'

Lotte zweeg. Ja, dacht ze, dat is de houding van mijn vader. Hij weet het altijd beter. 'Wat nu, moeder?'

De smalle lippen werden nog smaller. Het gezicht kreeg iets van een havik, dacht Lotte ineens. Als dit adellijke trekken moesten voorstellen, waren het lelijke trekken.

'Ik denk dat ik deze week nog afreis naar een kuuroord in Duitsland,' zei moeder langzaam. 'Ik wil daar langere tijd blijven.' Ze zweeg even. 'Misschien kom ik helemaal niet terug,' voegde ze er aan toe.

Ze verlaat het zinkende schip, schoot het door haar dochter heen. Misschien heeft ze wel gelijk. Voor wie zou ze blijven? Haar man heeft haar hulp niet nodig, hij zou hem zelfs afwijzen.

Er was niets tussen hen dat wees op genegenheid voor elkaar, en samen door een moeilijke tijd heen te gaan.

Lotte boog zich voorover. 'Moeder, u zei onlangs dat u niet weg kon, toen ik u vroeg waarom u niet uit dit liefdeloze huwelijk stapte. Waarom kunt u het nu wel?'

De kin ging met een ruk omhoog. 'Ik zal nooit een scheiding aanvragen,' kwam het gedecideerd.

'Waarom niet? U bent nog niet eens vijftig jaar. Als u gescheiden zou zijn, stond het u vrij om weer een huwelijk aan te gaan, een huwelijk met een prettiger verstandhouding, met een beetje genegenheid en liefde voor elkaar. Als u getrouwd blijft, ook al leeft u gescheiden van vader, kan dat niet...'

De ogen van haar moeder spoten vuur. 'In onze familie wordt niet gescheiden, zelfs niet als er omstandigheden blijken te zijn, die dat meer dan begrijpelijk maken...'

'Wat voor soort omstandigheden zijn dat dan wel?' vroeg Lotte kalmpjes.

Er volgde een zwijgen. Lotte vreesde al dat haar moeder op zou staan en naar boven zou lopen, maar ineens zei ze rustig: 'Je vader heeft me voorgelogen...'

Lotte fronste haar wenkbrauwen. 'Waarmee?'

'Hij gaf aan dat hij afstamde van de patriciërsfamilie Bernards, zijn vader zou Alexander Bernards zijn. Dat is niet waar.'

Lotte knikte. 'Dat is mij bekend, moeder.'

Ze hoorde haar moeder een keelgeluid maken dat leek op een ingehouden lach. 'Dus je hebt in dat trouwboekje gekeken?'

Lotte knikte enkel. 'Waarom wist u dat niet toen u trouwde? Had grootmoeder zich daar niet van op de hoogte gesteld?' Het klonk deftig, dacht ze, precies zoals moeder altijd praatte.

'Nee, mijn vader was al overleden en mijn moeder... mijn moeder had andere zorgen op dat moment.'

Weer viel een lange stilte.

Nee, dacht Lotte, die dokter heeft gelijk. Dat deftige geslacht was al bezig af te zakken. Andere zorgen. Hofdame bij de koningin. Wat voor zorgen kon je dan hebben? Dus het was bij de start van het huwelijk al mis. Er was geen antecedentenonderzoek verricht destijds. Waarom niet?

We kennen de familie De l'Eau tot Lichtenstein. Die dokter zei dat op een speciale toon waarin geen enkel respect voor een oude adellijke familie lag, eerder een bepaalde vorm van minachting.

Lotte bleef haar moeder aankijken. Vertel het maar, zei haar blik.

'We zijn niet op huwelijkse voorwaarden getrouwd. We zijn getrouwd in gemeenschap van goederen. Daarom kan ik niet weg, ik zou met lege handen moeten gaan. Het was de eis van je vader toen hij bereid was met mij te trouwen.'

Bereid was met haar te trouwen, schoot het door Lotte heen. Dat klinkt heel anders dan een rijke jonkvrouw uit een deftig geslacht, die als minste eis stelde dat een huwelijk op stand moest worden gesloten. Vader stelde eisen...

Vader was dus toch geen jongen van gewone afkomst, zo iemand stelde geen eisen. Het werd geheimzinnig, dacht Lotte. Het ging er op lijken dat er over en weer flink gelogen werd.

8

LOTTE ZAG HAAR VADER NIET MEER DIE DAG. HIJ KWAM 'S AVONDS NIET naar huis. Dat gebeurde wel vaker. Waar hij dan verbleef, was Lotte een raadsel.

Moeder gaf nooit een reactie op zijn uitblijven, waarvan hij vaak geen bericht gaf. Alleen haar gezicht werd dan een strak masker en Lotte wist dan zeker dat moeder weer de patiënte ging spelen. De laatste dagen speelde een diep weggestopte gedachte onophoudelijk door Lottes hoofd. Hij zou toch niet ergens een maîtresse hebben? Nee, niet haar vader. Het huwelijk mag dan niets voorstellen, maar hij houdt er geen andere vrouw op na, dacht ze. Hij zal zich nooit in een hoek laten drukken waar hij ontvankelijk kan worden voor chantage...

Nee? Hoe zat dat dan met die vonnissen, waar de krant openlijk over schreef? Als hij zich daartoe een keer liet overhalen was hij een speelbal in handen van bepaalde lieden. Dat zei de krant ook.

Waar zou hij zijn toevlucht zoeken als hij niet thuis kwam? Bij de rechtbank hadden ze geen mogelijkheid tot overnachting. Het zou grote onzin zijn om een hotelkamer te huren terwijl hij op vijf minuten afstand van de rechtbank woonde. Hij zou niet wegblijven omdat hij moeder niet onder ogen durfde te komen vanwege al die artikelen in de krant, daar was hij eerlijk gezegd, te brutaal voor.

In de herensociëteit bleef hij zeker niet. Als je ooit enige roddels door de stad wilde hebben moest je dat doen, zei hij altijd.

Lotte wilde er niet over denken, maar het werd haar vreemd te moede. Was het niet verstandiger om een tijdje te vertrekken, net als moeder? Waar kon ze naartoe?

Ze had wel adressen hier en daar. In België bij vroegere vriendinnen van het internaat. Haar oude lerares zou haar met plezier een weekje te logeren hebben in Antwerpen, waar ze al sinds vele jaren woonde. Ze hoefde alleen maar een koffer in te pakken en in de trein te stappen. Een telefoontje en ze was welkom. Maar ze zou ook eens naar Utrecht kunnen gaan om uit te vissen of er iets bekend was over een zekere familie Bernards...

Bij het diner diezelfde avond, zei haar moeder ineens dat ze de volgende dag zou vertrekken. Ze had vandaag de telefoon gepakt en een aantal zaken geregeld. Ze ging naar een kuuroord in Duitsland. Knap van dat frêle vrouwtje, dat altijd beweert niets te kunnen, dacht Lotte cynisch. Ze kan alles als het eropaan komt. 'Zou u niet liever wachten tot vader terugkomt.? vroeg ze aarzelend. 'Dan kunt u nog binnen een dag vertrekken. Ik vind dat hij wel wat heeft uit te leggen.' Ze repte niet over meegaan. Moeder zou stomverbaasd zijn als ze het voorstelde.

Ze had er ook helemaal geen zin in. Ze ging liever naar haar oude lerares in België. Of dit keer ging ze misschien wel naar Den Haag of Utrecht. Daar woonden beslist mensen, die de rechter en zijn vrouw beter kenden. Een hotel was gauw genoeg gevonden.

Ze zweeg over haar plannen. Moeder zou groot bezwaar maken: er kwamen familiegeheimen tevoorschijn. Die had ze zelf aangezwengeld, meende Lotte zonder erbarmen. Vooral die opmerking: 'mijn moeder had andere zorgen op dat moment...' 'Was uw moeder geen hofdame bij de koningin?' De woorden klonken sarrend door haar hoofd. Die waren niet geuit omdat er afgunst achter stak. Die werden gezegd omdat de spreker iets wist wat Lotte niet bekend was. Het werden zelfs dreigende woorden.

'Nee, ik ga morgen,' kwam het gedecideerd van de andere kant van de tafel.

'Is het wel verantwoord om op reis te gaan? U bent pas ernstig ziek geweest, u bent nog lang niet de oude.'

'Daarom vertrek ik ook naar een kuuroord,' zei de schrille stem weer.

Lotte deed nog een poging om haar tegen te houden. 'Ik denk dat ik ook op reis ga,' zei ze losjes. Ze zag hoe haar moeder de wenkbrauwen optrok. Ze knikte vriendelijk. 'Het wordt tijd dat ik richting Den Haag ga.'

'Wat wil jij daar?' Het klonk als een pistoolschot, zo fel.

Lotte zweeg en keek over de tafel naar de vrouw tegenover haar.

'Je blijft uit de buurt van oude bekenden,' blafte mevrouw Bernards. Lotte stond met een ruk op. 'Moeder, nou moet u eens even goed luisteren. U laat de boel hier in de steek, terwijl u nog half ziek bent. U geeft vader geen kans en mij niet. U geeft geen antwoord op mijn vragen. Dan ga ik zelf de antwoorden zoeken. Daarom ga ik naar Den Haag.'

'Je hebt het recht niet!"

Lotte trok haar wenkbrauwen hoog op. 'Wat is dat voor een merkwaardige opmerking? Wat heeft dat met recht te maken? Het lijkt wel alsof u iets te verbergen hebt. Is er iets met grootmoeder gebeurd, jaren geleden? 'Hofdame bij de koningin, andere zorgen ten tijde van uw huwelijk met vader.' Welke zorgen had ze dan? Werd ze weggestuurd van het hof?'

Met een ruk werd de stoel achteruitgeschoven, het damasten servet werd op het halfvolle bord gesmeten. Met drie stappen was Lottes moeder bij de deur en verdween. Met een onbeheerste beweging werd de deur dichtgegooid, zo hard, dat Annie verschrikt uit de keuken kwam.

Ze zag de vrouw des huizes de trap ophollen in een vaart die haar verbaasde. Mevrouw liep nooit hard, die schreed. Annie zag de deur weer opengaan en Lotte kwam de hal in. Mevrouw was ondertussen verdwenen in haar kamer, waarvan de deur ook met een klap werd dichtgegooid.

'Die zit dicht,' constateerde Lotte ironisch. Ze glimlachte zacht. Moeder, je verraadt jezelf. Je bent bang, misschien wel doodsbang. Er is iets gebeurd met je moeder, lang geleden. Je was er nooit zo happig op dat ik een echtgenoot in jouw Haagse kringen van vroeger zou gaan zoeken. Je hield me uit die omgeving weg. Vader was daar veel meer op gesteld. Die hoor ik er de laatste tijd ook niet over, die zocht het ook al dichter bij huis onder het motto dat ik te oud werd voor bepaalde kandidaten. Zijn dat allemaal wel zuivere redenen? Er komen steeds meer vragen, moeder.

'Is er iets gebeurd?' vroeg Annie nerveus. Ze had vaker meegemaakt dat mevrouw een hysterische aanval kreeg en dat betekende dat het personeel het dagenlang moest bezuren.

'Ze gaat morgen op reis,' deelde Lotte rustig mee. De zichtbare opluchting bij de huishoudster ontging haar niet.

Lotte bleef die avond wachten op haar vader, maar die kwam niet. Pas tegen elf uur knipte ze de lampen uit en ging naar bed. Ze was alleen met haar moeder in het grote huis en tot haar verwondering verbaasde haar dat nu een beetje.

Sinds ze volwassen was, kwam het vaak voor dat ze helemaal alleen was. Vader en moeder waren dikwijls afwezig. Het personeel ging in de loop van de avond naar huis. Ze had er nooit over nagedacht. Nu was ze toch een beetje ongerust. Waar hing haar vader uit?

De volgende morgen vertrok mevrouw Bernards voor haar doen al bijtijds. Ze kwam normaal nooit voor negen uur naar beneden. Nu stond ze kant-en-klaar en met gepakte koffers om halfnegen in de hal te wachten.

Vier grote koffers en een ruime handtas stonden bij de deur. Ze bedisselde en commandeerde alsof het huis voor jaren gesloten zou worden. Het leek alsof ze duidelijk wilde maken dat niemand zou mogen zeggen dat zij de boel onbehoorlijk achterliet. Zij had een opvoeding gehad in het leiden van een deftige huishouding en dat liet ze blijken ook.

Lotte zweeg toen de koffers werden ingeladen in een auto. Ze zweeg ook toen haar moeder bij de deur stond en kortaf zei: 'Nou, ik vertrek.' Ze scheen nog iets te willen opmerken, maar zweeg toen met opeengeknepen lippen.

Niet 'tot ziens,' niet 'het beste', niets. Lotte zweeg nog steeds. Daar gaat ze. Zal ik haar de eerstkomende tijd wel terugzien? Is het een vlucht voor vader of een vlucht voor mij? Had ze te lang met een leugen geleefd om de waarheid nog aan te kunnen, die ongetwijfeld zou worden geopenbaard nu de rechter van zijn voetstuk was gevallen?

De deur ging dicht en Annie kwam de hal in. 'Ze gaat echt,' fluisterde ze.

'Had je anders verwacht?' vroeg Lotte bitter.

Ja, dacht ze toen Annie wat verlegen met de situatie afdroop naar haar eigen domein. Annie had iets anders verwacht. Ik niet, ik ken mijn moeder zo langzamerhand.

Bij Annie thuis komt zoiets niet voor. De moeder was een hardwerkende vrouw geweest, haar vader zorgde voor het inkomen, zij voor het huishouden. Er kon wel eens met de vuist op tafel worden geslagen, maar verder ging het niet. Gebeurtenissen dat moeder de vrouw vertrok zonder dat de echtgenoot ervan wist, waren onbekend in dat arbeidersgezin. Vader en moeder gingen altijd samen op stap en kuuroorden kenden ze niet.

Ja meid, zo gedragen de rijke lui zich, die menen dat je tegen hen op moet zien. Vergeet het maar. Jouw ouders verdienen meer respect dan de mijne.

Langzaam liep Lotte naar de kleine salon waar haar ontbijt klaarstond. Kwam vader vandaag naar huis of bleef hij nog langer weg? Kon ze gaan informeren bij de herensociëteit zonder al te veel geklets los te maken? Niet doen, dacht ze. Waar moest ze hem zoeken? Ze moest noodgedwongen afwachten tot het hem beliefde naar huis te komen.

Maar dan zou zij ook meteen verdwijnen, dacht ze boos. Ze was lang en breed meerderjarig en ze kon gaan en staan waar ze wilde.

Zij ging op reis, naar Utrecht en naar Den Haag en wie weet later nog naar België.

Ze maakte die ochtend nog haar plannen kenbaar aan Annie. Die keek wat verwonderd, maar ze knikte bereidwillig. Iedereen weg, dat gebeurde niet zo vaak. Mevrouw en meneer, ja die gingen nog wel eens op stap, maar altijd apart. 'De een kwam, de ander ging, ze kwamen elkaar tegen op de stoep,' spotte het personeel soms.

Sinds juffrouw Lotte terug was van die kostschool in België, was ze vaak alleen geweest in het grote huis. Annie moest er niet aan denken. Ze zou het niet eens durven, al zou niemand het in zijn hoofd halen de juffrouw lastig te vallen bij nacht en ontij.

Haar moeder had er nooit over gepiekerd om op stap te gaan en een of meerdere kinderen alleen thuis te laten. Toen ze volwassen waren en de ouwelui soms op visite gingen, klonk het nog altijd: 'Netjes oppassen, hoor.'

Wat zou Annie nog eens graag die stem horen commanderen op een vroege zaterdagavond als vader en moeder in hun beste kleren klaar stonden om weg te gaan. Maar moeder was er niet meer, al vijf jaar niet meer. Tja, rijke lui hadden andere principes dan gewone arbeiders, maar of die beter waren?

Annie zou er niets over zeggen. Dat was haar taak niet. Ze was hier alleen maar om te zorgen dat de huishouding vlekkeloos verliep, met of zonder de aanwezigheid van meneer en mevrouw.

Het was tegen negen uur in de avond toen de sleutel werd omgedraaid en een enigszins verfomfaaide rechter Bernards zijn woning betrad.

Lotte hoorde hem binnenkomen, de paraplu werd ruw in de daarvoor bestemde standaard gesmeten en er werd geroepen om hulp bij het uittrekken van zijn mantel. Er verscheen niemand.

Lotte bleef ook zitten. Ze voelde zich niet geroepen om haar vader te hulp te schieten. Hij kwam pas na ruim anderhalve dag thuis. Hij moest zich maar redden.

Ze had zich behaaglijk geïnstalleerd bij de open haard met een boek. Annie en de twee meisjes waren naar huis gegaan tegen acht uur. Nee, er hoefde geen diner klaar te worden gemaakt. Mocht de heer des huizes nog komen opdagen dan was dat jammer voor hem: hij zou de hond in de pot vinden, opdracht van de juffrouw.

Annie dacht nog even aan morgen. Als ze morgen weer een woedende en onredelijke bui over zich heen kreeg, stond ze morgenavond bij de directeur van de zuivelfabriek op de stoep, beloofde ze zichzelf. Ze was het meer dan zat. Al die geruchten en dat geklets in de stad, zij werd er ook op aangekeken. Vader en broer zaten al avonden op haar in te praten, om te gaan solliciteren naar die baan als huishoudster. Ze moest er werk van maken, dat aanbod bleef niet eeuwig bestaan, waarschuwde haar broer.

Morgen zou de juffrouw ook vertrekken en dan bleven ze zitten met die bullebak van een rechter voor wie nooit iets goed genoeg was.

'Waar is dat luie personeel?' schreeuwde de rechter onbeheerst.

Lotte legde toch haar boek neer en stond op. Langzaam liep ze naar de deur, die toegang gaf tot de grote hal. Met een ruk keerde Bernards zich om toen hij de deur open hoorde gaan.

'Wat is dat voor een vertoning?' vroeg Lotte scherp.

'Help me,' zeij hij kortaf.

'Redt u zichzelf maar, vader. Is me dat een thuiskomen. U lijkt wel dronken. Het is goed dat het personeel niet aanwezig is, anders zou morgen de hele stad op de hoogte zijn.'

'Waar is de huishoudster?' schreeuwde de man.

'Die is allang naar huis. De meeste mensen gaan al naar bed. Waar hebt u afgelopen nacht gezeten?'

Hij staarde zijn dochter een beetje lodderig aan. 'Ik ben geen ver-antwoording schuldig aan jou,' blafte hij haar toe.

Ze haalde de schouders op en draaide zich naar de deur. Ze liet haar vader worstelen met zijn mantel en sloot de deur achter zich.

De rechter bleef wat ontnuchterd staan. Het drong tot zijn benevel-de hersens door dat zijn dochter hem de rug toekeerde en dat zijn vrouw zich helemaal niet liet zien. Die was anders zo bang voor een schandaal, dat ze meteen op de trap zou verschijnen om hem toe te sissen dat alles rustig moest blijven. Geen lawaai, geen geschreeuw, stel je voor dat iemand iets zou merken...

Met moeite wist hij zich te ontdoen van zijn lastige, zware mantel en smeet hem op de trap. Toen stapte hij enigszins onvast ter been midden op de jas en wankelde de trap op naar boven. Hij opende de deur van het boudoir van zijn vrouw. Boudoir, het mocht wat. Een vrouwenkamer met allerlei kleding, tierelantijntjes en verdere onnutte rommel. 'Ik ben thuis,' gromde hij.

Het drong tot hem door dat er niemand in de kamer was. Hij zag toen pas dat het bed keurig opgemaakt was, dat de klerenkast openstond en de meeste kleren van zijn vrouw weg waren.

Hij uitte een verwensing. Ze was weg...

Natuurlijk weer naar een of ander kuuroord, dat handen vol geld kostte. Wat mankeert dat mens toch?

Hij moest op de centen letten nu het allemaal wat minder ging. Zijn riante salaris was stopgezet en hij had geen kapitalen achter de hand. De huishouding was altijd te rijk uitgerust geweest met al dat personeel.

Hij liet zich op zijn bed vallen in de kamer aan de andere kant van de gang.

Hij sliep al voor hij merkte dat Lotte de trap op kwam.

De volgende morgen was hij al vroeg beneden, maar niet zo vroeg of Lotte zat al aan de ontbijttafel.

Van het feit dat hij de vorige avond was aangeschoten, was niets meer te merken. 'Is er koffie?' vroeg hij nors.

'Ook goedemorgen, vader,' antwoordde ze kil.

Hij keek haar nijdig aan terwijl hij zijn kopje omhoog hield. 'Waar is de dienstmeid?' gromde hij toen er geen meisje met een koffiekan verscheen, die het zwarte vocht onhoorbaar inschonk.

'Het personeel is in de keuken,' zei Lotte effen. 'Ze hoeven niet op de hoogte te zijn van het gesprek tussen ons. U bent zelf wel in staat een kop koffie in te schenken.'

Zijn ogen fonkelden van woede, maar hij schonk zichzelf een kop koffie in.

'Waar zat u de afgelopen dagen?' vroeg ze onverstoorbaar.

'Dat gaat jou niet aan,' zei hij kortaf.

Lotte zweeg een ogenblik. 'U was niet op de rechtbank en u was niet in de herensociëteit...' merkte ze op.

'Sinds wanneer ga jij mijn gangen na?' viel hij uit.

'Sinds ik de krant lees,' beet ze terug.

Hij keek haar geschrokken aan. Hij had opdracht gegeven de krant achter te houden. Zijn vrouw las die regionale krant toch al niet, maar Lotte keek er wel eens in. Hij zag nu ook wel dat het een naïeve poging was geweest de realiteit voor hen te verbergen.

'U kunt de krant wel weg laten leggen, maar ik krijg hem wel te pakken, vader. Waarom bent u geschorst?'

'Het zijn leugens, allemaal leugens...'

'Dat lijkt me niet. Niemand wordt geschorst als het gaat om overduidelijke leugens. U bent zelfs al ontboden voor een ondervraging door de politie...'

'Het gaat jou niet aan, nogmaals...'

'Zoals u wilt. O, tussen haakjes, u hebt moeder ongetwijfeld al gemist. Ze is gisteren afgereisd naar Baden Baden in het Zwarte Woud. Het is de vraag wanneer ze terugkomt.'

Hij hield op met eten. 'Voor mijn part blijft ze weg. Wat heb je aan zo'n vrouw?' bromde hij.

Wat heb je aan zo'n man, dacht Lotte en schoof haar bordje achteruit. Ze stond op. 'Ik vertrek vandaag ook, vader.'

Met een ruk werd het gezicht opgeheven. 'En waar ga jij heen?'

'Naar Den Haag en naar Utrecht,' zei ze kalm.

Ze bestudeerde zijn gezicht. Het werd beurtelings wit en rood.

'Wat heb je daar te zoeken? Toch geen aanstaande echtgenoot, neem ik aan.'

Ze schudde het hoofd. 'Nee, vader, het lijkt onder de gegeven omstandigheden ook niet raadzaam om daarnaaruit te kijken.'

'Waarom ga je dan weg? Je lijkt op je moeder.'

Lotte glimlachte. 'Op wie ik lijk weet ik niet, maar zeker niet op moeder. Ik ga op bezoek bij bekenden en vrienden.'

'De ratten verlaten het zinkende schip,' hoonde hij ineens.

Ze stond op. 'Is er een schip dat aan het zinken is, vader? Heet dat schip toevallig uw positie bij de rechtbank?'

'En nou hou jij je mond!' schreeuwde hij en sloeg met de vuist op tafel.

Met drie stappen was hij de deur uit en schreeuwde overspannen om zijn mantel. Annie schoot haastig naderbij om te helpen.

Lotte hoorde deur dichtslaan en glimlachte voor zich uit terwijl ze nog een kop koffie pakte.

Ze was niet onder de indruk van zijn uitbarsting. Daarvoor kende ze haar vader te goed. Hoe onzekerder hij was, hoe harder hij schreeuwde.

9

OPNIEUW VROEG LOTTE ZICH AF WAAR HAAR VADER NAAR TOE WAS gegaan.
Zat hij de hele dag soms ergens in de kroeg? Overlegde hij misschien met zijn vriend, de advocaat Molenkamp, over de te nemen stappen? Daar had hij de hele dag niet voor nodig en daar hoefde hij toch 's nachts niet voor weg te blijven? Ging hij naar de weinige andere vrienden die hij had? Nee, de soort dat zich 'zijn vrienden' het noemde was allang uit het zicht verdwenen. Bij de minste tegenslag lieten die lui hem vallen als een baksteen, zo was hij immers zelf ook.
Of... of was er een andere vrouw waar hij altijd terecht kon?
Lotte wist dat dat laatste meer dan eens gebeurde. Veel mannen hadden een minnares. Niet alleen hooggeplaatste figuren, ook gewone arbeiders lichtten meer dan eens de hand met de huwelijkstrouw.
Wat moest ze doen? Toch vertrekken naar Utrecht met alle gevolgen van dien? Of blijven en afwachten wat de naaste toekomst zou brengen? Wat had het voor zin om onder deze omstandigheden te gaan wroeten in oude familiegeschiedenissen?
'Ga naar Den Haag,' had die dokter gezegd. 'Daar kent iedereen het verhaal.' Er was geen enkele haast om vervelende familiegeheimen te ontdekken. Je haalde alleen maar nieuwe ellende aan, dacht ze neerslachtig.
Een bescheiden tikje en op haar 'ja' kwam Dineke, het jongste dienstmeisje binnen. 'Er is bezoek voor u, juffrouw,' zei ze netjes met haar halfdialectische tongval.
Lotte keek verwonderd op. Ze had niets gehoord.
'Wie is er aan de deur?' vroeg ze langzaam. Ze had eigenlijk geen behoefte aan bezoek en het was ook veel te vroeg voor een visite. Het was amper halfnegen in de ochtend.
'Dokter Bernards, juffrouw.'

'Ik kan me niet herinneren dat hij geroepen is,' zei ze verwonderd. Ze stond op. Sinds die geruchten door Almelo zingen heb ik zijn baas, dokter van het Zand, nog niet gezien, dacht ze. Die liet het mooi afweten, terwijl mijn moeder dagenlang niet in orde was. In andere tijden stond hij altijd op de stoep, zelfs wanneer het niet nodig was. 'Nazorg', noemde hij dat.

Tja, hij zal zijn goede naam niet op het spel kunnen zetten vanwege een momenteel riskante familie als die van rechter Bernards. Hij mocht eens opmerkingen krijgen van de elite in Almelo... En deze jonge vent komt zelfs ongeroepen. Wat wil hij trouwens op dit vroege uur?

Ze knikte de arts toe die in de hal stond te wachten.

'Wat brengt u hierheen?' vroeg ze uiterst formeel. Hij was nerveus, zag ze.

'Ik had graag met u en uw vader gesproken,' deelde hij even formeel mee. 'Ik denk dat ik de brenger ben van slecht nieuws. De politie komt ook nog...'

Ze trok de wenkbrauwen op. 'Mijn vader is niet aanwezig; hij is al vertrokken,' zei ze kalm.

Ze zag aan hem dat er iets gebeurd moest zijn, hij keek bepaald niet vrolijk. Hij had geen goede boodschap, dat zei hij al. Maar wat kon het zijn? Was vader opgepakt? Als vader was gearresteerd kwam de dokter toch niet? Dan kon ze de politie verwachten. Wat zei hij ook alweer: 'die kwam ook nog'...

'Kom binnen,' noodde ze kort.

Hij knikte en liep alvast naar de deur van de kleine salon. Hij weet de weg blijkbaar al, dacht ze spottend en volgde hem zonder commentaar.

Hij sloot de deur behoedzaam achter zich toen Lotte aan de kleine tafel ging zitten. 'Niemand hoeft hier nu al te vernemen wat er is gebeurd,' zei hij, 'hoewel het weldra overal bekend zal zijn.'

Ze trok haar wenkbrauwen op. Was er iets gebeurd dat zij diende te weten? In welke richting moest ze denken?

Hij ging ongevraagd tegenover haar zitten. 'Ik denk dat u vandaag nog meer bezoek tegemoet kunt zien.'
Bezoek? Wie, de politie, de dominee, de complete kerkenraad? Hij zweeg even. 'Juffrouw Bernards, ik zeg het zonder omwegen: uw moeder is onverwacht overleden in de trein, die haar naar het kuuroord Baden Baden zou brengen. Helaas, ze was net de Duitse grens gepasseerd.'
Ze slikte, werd beurtelings wit en rood, hapte naar adem en schudde het hoofd. 'Dat kan niet, ze is gistermorgen vertrokken,' bracht ze uit. 'Overleden, hoe kan dat nou, ze was zwak, maar ze was niet doodziek.'
'Ze had nooit mogen afreizen, juffrouw,' zei hij rustig. 'Ze was veel te zwak voor zo'n onderneming. Ze leek aardig hersteld, maar was het nog lang niet. Niet eens vanwege haar recente ziekte maar vooral vanwege haar hele lichamelijke gesteldheid. Ze was een lichamelijk wrak. Het spijt me dat ik het moet zeggen.'
'Daarom ging ze juist naar een kuuroord...' Je liegt niet onverdienstelijk Lotte, dacht ze. Moeder ging omdat ze de situatie thuis wilde ontvluchten. En dan was de weg naar een dergelijke instelling snel gevonden.
'Ik heb haar dringend aangeraden goed te eten en een aantal kilo's aan te komen. En vooral de eerste tijd geen vermoeiende bezigheden als reizen en dergelijke te ondernemen. Ze was broodmager, bijna ondervoed.' Hij zei het op een toon alsof hij wist dat ze die raad nooit zou opvolgen, al was het alleen maar omdat ze zich ver verheven boven hem voelde. Een armoedzaaier als die dokter had haar niet te adviseren.
'Ze luistert naar niemand als het om haar gewicht gaat,' mompelde Lotte. 'Ook niet als het om een uitstapje gaat.' Ze keek op. Ze was nog steeds zo wit als een dode. 'Wat is er precies gebeurd? Was het een ongeluk?'
Hij kneep zijn lippen op elkaar. 'Nee, waarschijnlijk heeft haar hart het begeven. Haar hart was niet in orde, dat begreep ik al bij mijn

laatste bezoek hier, en dat heb ik haar ook gezegd. Ze heeft jaren-lang stelselmatig te weinig gegeten en het lichaam afgemat om maar zo mager mogelijk te blijven. Dan kun je bijna wachten op grote gezondheidsproblemen.'

'Ik had haar niet moeten laten gaan,' fluisterde Lotte.

De jongeman zweeg. De welbekende opmerking. De dame had zich niet laten tegenhouden, haar dochter zou het ongetwijfeld gepro-beerd hebben. Dergelijke vrouwen lieten zich niets zeggen.

Hij zag dat ze geschokt was, maar echt verdriet zag hij niet. Dat kon nog komen, de schok was te groot, maar hij verwachtte niet dat Lotte kapot zou zijn van verdriet.

Iedereen die dit huis binnenkwam, voelde meteen de kilte en stug-heid, die heerste vanaf de hal tot in de nok van het dak. Hier woon-de geen gezin waarbij het goed toeven was. Een vrouw die nog te trots en te hoogmoedig was om naar beneden te kijken, een man die zich als een bullebak gedroeg, in zijn drang om zich te presenteren als een heer van stand. Nee, dit waren geen mensen die de dokter tot zijn kennissenkring zou willen rekenen. En toch, de jonge vrouw... Ze speelde door zijn hoofd, in zijn dromen en zijn onbewuste gedachten. Ze was er bijna altijd...

Zelfs nu zou hij iets willen zeggen, maar hij wist niet wat. Hij dwong zichzelf te denken aan haar vader. Dan bleef hij tenminste met de beide benen op de grond staan. Wie zat op die man te wach-ten?

De verhalen over hem waren bekend in Almelo. Al vanaf de eerste dag had hij ze moeten aanhoren, ook al omdat zijn naam dezelfde was als die van deze familie. Familie van die rechter, dokter? Nee, gelukkig niet.

Hij was geen prettige man in de omgang, dat was de meest verzach-tende opmerking over hem. Half Almelo gunde hem de misère en narigheid die de laatste tijd over hem uitgestort werden. Hij had ook alles over zichzelf afgeroepen.

Hij keek naar de jonge vrouw, die trillend op haar stoel zat. Hij had de verhalen over haar ingedronken vanaf het moment dat hij haar zag. Hij stuurde soms aan op haar als onderwerp van gesprek. Hij wist veel meer over haar dan zij vermoedde.

Dat waren bijna allemaal tegenstrijdige verhalen. Ze was anders dan haar ouwelui, zeiden sommigen. Er waren ook mensen die beweerden dat zij een aardje naar papaatje en mamaatje had. Ze scheen wel opgeknapt te zijn op dat internaat in België, ofschoon die meisjes van hoge afkomst over het algemeen niet veel goeds leerden op een dergelijke school.

'Ik kreeg vanmorgen een telefonische melding via de politie,' zei hij om maar iets te zeggen. 'Ik kan u zeggen dat het lichaam van uw moeder morgen naar huis komt. Ze is overleden in de buurt van Keulen, net over de grens. Dat geeft altijd een nare papiermolen. Doktersverklaringen, politierapporten...'

'Politierapporten?' vroeg ze.

'Dat moet nu eenmaal, ook al is het een natuurlijke dood. Uw moeder bevond zich in het buitenland.'

'Was er iemand bij haar toen ze overleed?' wilde Lotte schor weten. Natuurlijk niet. Moeder had geen vriendinnen of kennissen met wie ze zo'n reis ondernam. Was ik nu toch maar meegegaan... Ach, hou op, Lotte, moeder had dat niet eens gewild.

Hij knikte tot haar verrassing. 'Ja, ze was gelukkig niet alleen. Ze reisde met een vrouw, een vriendin waarschijnlijk. Dat is mij verteld.'

Lottes mond zakte open. 'Een vriendin? Daar weet ik niets van. Ik ken helemaal geen vriendinnen van mijn moeder.' Ze dacht koortsachtig na. Een vriendin, wie dan? Moeder had in Almelo geen vriendinnen door haar hautaine gedrag.

'Ik denk dat de dominee en de politie ook nog even langs zullen komen. De politie komt strikt vanwege de regels die nu eenmaal op dit gebied gelden. Maar ik kan u geen antwoord geven op uw vraag wie de vriendin is van uw moeder. Waarschijnlijk weet de politie dat wel.' Hij stond op. 'Ik kom vanavond nog even terug als u het goed vindt tenminste.'

Ze knikte zonder dat de woorden tot haar doordrongen.

'Is er iemand die u gezelschap kan houden vandaag? Is uw vader in de buurt?'

Ze slikte iets weg en knikte lukraak. Ze had geen idee waar hij uithing. Het interesseerde haar op dit moment ook niet.

Hij voelde naast die onzekere gevoelens iets van medelijden opwellen en legde even zijn hand op haar schouder. 'Meiske, hou je haaks,' zei hij ineens en besefte op hetzelfde moment dat hij volkomen zijn boekje te buiten ging en zich helemaal bloot gaf.

Ze merkte het niet. Ze voelde alleen de hand op haar schouder, die zo troostend was. Wat had ze graag dat hij nog een tijdje bleef, bij haar zat, er gewoon was voor haar.

Maar hij moest verder.

Hij keek nog even naar de jonge vrouw, die verslagen in haar stoel zat voor hij de deur achter zich sloot. Hij ging weg nadat hij Annie had geroepen. Waarschijnlijk had hij wel geraden dat de huishoudster degene was die het beste als gezelschap voor de jonge vrouw kon dienen.

Annie had de meisjes aan het werk gezet op de bovenverdieping. De bedden moesten gelucht worden, ook al was het guur weer en kon het elk moment gaan regenen.

Daarna had ze thee gezet; sterke thee in grote kommen. Toen kwam ze zonder aarzelen naar de kleine salon en zette het blad neer op de tafel.

Lotte zat nog steeds versteend aan de tafel. Annie voelde diep medelijden. Ja juffrouw, dat is een hele klap als je familie zomaar ineens wegvalt. Je hebt niet eens fatsoenlijk afscheid kunnen nemen. Dat is hard.

'Alstublieft juffrouw,' zei ze en reikte de kom aan. Haar vingers waren ijskoud, dacht Annie. Ze was zelf ook verschrikkelijk geschrokken, al had ze zich vrij snel hersteld. Het was tenslotte geen familie.

Hoe kon dat nou? Mevrouw was zomaar overleden. Ze zag er altijd uit alsof ze zo in elkaar kon zakken. Ze was zo wit als een doek, maar dat vond zij getuigen van deftigheid. Annie wist maar al te goed wat voor liflafjes zij at, daar zat toch geen kracht in.

Mevrouw was niet oud geworden, nog niet eens vijftig jaar. Ja, jong getrouwd zoals dat de gewoonte was in die kringen. Als die dames twintig jaar waren en nog geen verkering hadden, waren ze al bijna een ouwe vrijster.

Ze schrok toen Lotte begon te praten met een schrille, ietwat rauwe stem. 'Annie, wist jij dat mijn moeder zo ziek was dat ze nooit had mogen vertrekken?' vroeg Lotte schor.

Annie zweeg schuldbewust. Natuurlijk had ze nooit mogen vertrekken, ze was net ziek geweest, ze was amper een week van bed af.

'Juffrouw, mevrouw uw moeder wilde vertrekken,' antwoordde ze vroom. 'Als ze niet naar dat kuuroord was gegaan, was ze wel ergens anders naartoe gereisd.' Tegen juffrouw Lotte kon ze die opmerking maken, dacht ze. De rechter had het nooit geaccepteerd, ook al was de opmerking nog zo waar.

Tot haar opluchting knikte Lotte. Ja, moeder ontvluchtte dit huis zoveel mogelijk, dat had ze al jaren gedaan. Lotte kon haar geen ongelijk geven. Als zij kon vertrekken, deed ze het immers ook.

'Ik had haar tegen moeten houden,' zei ze voor de tweede keer.

'Dat was u niet gelukt, juffrouw,' zei Annie overtuigd.

Ze schoof haar stoel iets dichterbij. 'Moeten we niet mensen waarschuwen? Ik bedoel: een begrafenisondernemer, een dominee, de burgerlijke stand? Er zal heel veel geregeld moeten worden.'

Lotte keek op. Ze wist het niet, ze had nog nooit een begrafenis meegemaakt. Ze wist niet wat er allemaal bij kwam kijken.

'Eerst moet mijn vader gewaarschuwd worden.' Ze keek wanhopig op. 'Waar moet ik die man zoeken?' bracht ze uit.

Annie zweeg met opeengeknepen lippen. Ze zou het kunnen bedenken, maar ze bedacht zich wel tien keer voor ze het hardop zou zeggen.

Ze hoorde de trekbel weer met zijn hoge ijle geluid. Ze stond op en haastte zich naar de hal. Even later kwam ze binnen met een nog redelijk jonge man in een zwart pak. 'Juffrouw, hier is dominee Van de Heuvel voor u.'

Lotte stond op. Aardig dat de man de moeite nam zo snel langs te komen. Zo vaak zat de familie niet bij hem in de kerk. Moeder ging vaker naar de Protestanten Bond. Lotte ging liever naar de hervormde kerk midden in de stad.

De man had ook kunnen denken dat de voorganger van dat genootschap de honneurs maar moest waarnemen.

Lotte stond op. 'Dominee,' groette ze.

Hij glimlachte en ging zitten op de stoel, die ze hem aanwees. Annie haastte zich om nog een kom thee te halen. Ze wierp nog een blik op de grote klok in de hal. Al bijna halfelf. Ze had meer dan een uur bij de juffrouw gezeten...

Ik hoop niet dat hij zalvend spreekt over het onverwachte heengaan, dacht Lotte.

'Juffrouw Bernards, het spijt me dat we elkaar onder deze omstandigheden moeten ontmoeten. De onverwachte dood van uw moeder komt hard aan, dat besef ik.' Hij zweeg en glimlachte bijna schuchter.

Ze reageerde niet. Wat verwonderd vroeg ze zich af of moeders dood inderdaad hard aankwam. De schok ja, ze had er eenvoudig niet bij stilgestaan dat dit kon gebeuren. Ze had er rekening mee gehouden dat ze over een week of wat een brief zou ontvangen dat moeder zich ergens anders gevestigd had. Al zou Lotte niet kunnen bedenken waar dat zou moeten zijn. Den Haag, nee vast niet...

'Hoe is de reactie van uw vader?'

Verbeeldde ze het zich of klonk er iets van ironie in de stem van de dominee door? Ze keek hem strak aan, maar zag alleen maar een ernstig gezicht. 'Mijn vader is nog niet op de hoogte,' zei ze toen langzaam. 'Hij was al weg voor het bericht kwam.'

'Uw vader heeft het niet eenvoudig op dit moment,' stemde de dominee in. 'U ook niet, zie ik. Was uw moeder ziekelijk?'

'Ze is onlangs behoorlijk ziek geweest en de dokter heeft haar de reis afgeraden. Maar ze wilde niet luisteren.'

De dominee zweeg. Wat moest hij verder zeggen?

Hij kende het gezin eigenlijk niet. Officieel waren ze lid van de kerk, maar zijn diaken had hem al eens verteld dat de rechter zijn kerkelijke contributie in geen jaren had betaald. Hij had nooit gereageerd op een gesprek erover. Men kende de man. Hem aanspreken op zijn bijdrage zou een snerende reactie ontlokken, waar geen van de ouderlingen op zat te wachten.

De weinige keren dat de dominee met de rechter in aanraking was gekomen, was hij ook onaangenaam getroffen geweest door de verregaande neerbuigendheid en de arrogantie die de man aan de dag legde.

Zijn vrouw was al even uit de hoogte. Ze straalden het beiden uit, ze voelden zich ver verheven boven iedereen in de stad.

De predikant besefte dat niemand veel medelijden zou hebben met de man. Misschien wel met zijn dochter, maar die was jarenlang uit het zicht geweest en redelijk onbekend voor de meeste mensen.

Hij voelde zich niet op zijn plaats hier. De jonge vrouw zat verwezen op haar stoel. Die kon het nieuws niet bevatten, dat was duidelijk.

De man en vader was niet thuis en zijn dochter wist niet eens waar hij was. De predikant had de geruchten vernomen die over de man rondzongen. Daar wilde hij niet met deze jonge vrouw over beginnen. Zij kon er uiteindelijk niets aan doen.

Een stichtelijk woord had geen zin, begreep hij. Het zou niet tot haar doordringen. Bovendien sloeg dat nu ook nergens op.

Hij bleef nog even zitten, bood hulp aan bij de voorbereiding van de begrafenis. Had moeder een testament, waarin ze iets bedongen had? Wilde ze vanuit de kerk begraven worden, wilde ze hier in Almelo begraven worden?

Lotte was hem dankbaar, al kon ze op geen van die vragen antwoord geven. Ze kon de hulp goed gebruiken. Ze wist niet wat haar moeders wensen waren en ook niet wat haar vader wilde.

Pas toen de dominee weg was, ging Lotte zitten en staarde de tuin in, die er doods en winters bij lag. Bijna symbolisch, schoot het door haar heen.

Wat nu? Het was zo onwezenlijk. Moeder ging weg en zou nooit meer terugkomen. Ze was overleden, zomaar ineens. Dat kon toch bijna niet. Was het wel waar? Hadden ze zich niet vergist? Nee, zulke vergissingen werden niet gemaakt.

Er was een vriendin bij haar. Wie kon dat zijn? Lotte kon zich niemand voorstellen als een vriendin van haar moeder.

Ze zuchtte diep.

Langzaam stond ze op en liep naar de trap om naar boven te gaan. Ze opende de deur van moeders kamer. Het opgemaakte bed, de kasten, de vloerbedekking, alles ademde luxe en rijkdom.

Nooit meer, moeder zal hier nooit meer een voet over de drempel zetten.

Ze ging zitten bij de kaptafel, die zo opgesteld was dat hij het gunstigste beeld gaf van degene die ervoor plaats had genomen.

Moeder, dacht ze. Je was mijn moeder, maar ben je het ooit geweest? Je hebt nooit laten doorschemeren dat je om me gaf. Was ik een soort ongelukje dat zomaar onaangekondigd kwam en jouw prettige leventje volkomen veranderde? Je liet me van jongs af aan rustig achter met gouvernantes en huishoudelijke hulpen en ging zelf maandenlang op reis. Ik heb nog nooit een troostend woord van je gehoord als ik verdriet had. 'Kind, hou op met dat gejank. Meisjes van stand huilen in hun zakdoek en zonder tranen,' dat waren jouw woorden. Ik kan me niet herinneren dat je me ooit op schoot nam en me aanhaalde.

En toch, je was mijn moeder... Ik zal je missen, daarvoor was je afscheid te abrupt, al weet ik zelf niet hoe veel en hoe erg.

Ze voelde iets steken in haar keel. Langzaam keek ze in de spiegel naar het bleke gezicht dat haar aanstaarde. 'Moeder is overleden,' zei ze hardop. Het klonk zo raar, zo vreemd.

Ze voelde iets trillen en zag tot haar eigen verbazing de tranen komen, die langzaam over haar wang rolden.

10

EVEN NA DE MIDDAG MELDDE ZICH EEN POLITIEMAN AAN DE DEUR. EEN agent in een regenjas, die zo opvallend in burger was dat hij meteen werd herkend als een rechercheur van politie. Hij was beleefd en voorkomend, stelde een aantal vragen en schreef veel in een klein boekje.

Er werd meer meegedeeld dan gevraagd, merkte Lotte. Ze was er blij om want ze wist nog weinig van de ware toedracht. Een hartaanval, was de mening van de Duitse arts, die het lichaam van moeder had onderzocht. 'Men zag meteen dat het een ernstig zieke persoon betrof.'

Dat was ze dus ook, dacht Lotte. Zwaar ziek, veel zieker dan een van ons had gedacht...

Er was geen sprake van een misdrijf of iets van dien aard. Mevrouw had, om het eerlijk te zeggen, niet op reis moeten gaan. Ze was er te ziek voor geweest.

Dat zei de dokter ook, dacht Lotte moe. Deze man zal ook wel beseffen dat moeder zich niets liet zeggen op dat gebied.

Of er verder nog vragen waren, wilde de politieman weten.

Lotte knikte ineens. 'Mijn moeder reisde in gezelschap van een andere dame. Weet u wie dat was? Het is voor ons een raadsel.'

De man keek haar even verwonderd aan, knikte kort en keek even in zijn aantekenboekje. 'Ja, dat was een zekere mevrouw De Beauhertain, afkomstig uit Den Haag.'

Lotte fronste de wenkbrauwen, haar gezicht was een groot vraagteken. 'De Beauhertain? Daar heb ik nog nooit van gehoord,' zei ze bevreemd. En toch klonk de naam ergens niet helemaal onbekend, dacht ze toen de man na een vriendelijk afscheid vertrokken was. Maar ze had geen idee waar ze die naam eerder had gehoord.

Ze liep naar boven en opende de deur van moeders kamer. Was hier iets te vinden? Kon ze het wel maken om in moeders persoonlijke dingen te gaan rondsnuffelen? Er waren vragen genoeg, dacht ze en begon zwijgend in de la van de kaptafel te rommelen. Er kwam niets tevoorschijn dat enig licht wierp op een zekere mevrouw de Beauhertain. Vreemde naam trouwens, Belgisch of Frans? Ze vond geen enkele aanwijzing, niet naar die mysterieuze vrouw, niet naar enige andere informatie die iets kon ophelderen. Moeder bewaarde haar geheimen beslist niet in dit huis, dat was wel zeker. Lotte hield na een halfuurtje op met zoeken. Wat had het voor zin, dat kon later ook nog wel. Er waren nu andere zaken te regelen, een begrafenis bijvoorbeeld. De man van de politie had haar gemeld dat ze de voorbereidingen rustig kon aanvangen. Ze hoefde niet naar het gemeentehuis, dat werd op een andere manier geregeld, van officiële zijde.

De voornaamste vraag was nu: waar was vader? Hij wist nog van niets.

Tegen de avond zat Lotte zwijgend aan tafel in de keuken tegenover Annie. De dienstmeisjes waren al vroeg naar huis gestuurd. Lotte was dankbaar dat Annie er was. Ze zou ook niet weten wie ze anders had kunnen vragen om haar gezelschap te houden.

Het was een drukke middag geweest voor beiden. De begrafenisondernemer was langsgeweest. Er was al contact gelegd met de notaris. Was er een testament waarin de laatste wensen van mevrouw Bernards waren opgetekend?

De notaris kwam tegen de avond persoonlijk langs en deelde mee dat er een testament was. Mevrouw wenste in Den Haag begraven te worden in het graf dat de familie al generaties lang bezat op de begraafplaats Oud Eik en Duinen.

De begrafenisondernemer zou daarover contacten opnemen met de juiste instanties in Den Haag, beloofde hij. De volgende dag zou hij erop terugkomen.

'Die telefoon is een uitkomst,' zei Annie terwijl ze koffie inschonk, 'dat scheelt zeeën van tijd.'

Lotte knikte. 'Ik begrijp er niets van, Annie. Had jij ingeschat dat mijn moeder zo ziek was?'

Ergens wel, dacht de huishoudster en ging zitten. Die vrouw was een wandelend wrak. Zij dacht dat ze een schoonheid was, maar iedereen die haar tegenkwam zei dat ze met de dood in de schoenen liep.

Nee juffrouw, je hoeft geen schuldgevoelens te koesteren over het overlijden van je moeder; zij wilde niet luisteren naar goede raad.

Er werd opnieuw aan de bel getrokken. Lotte stond op. 'Ik denk dat het die dokter is. Hij wilde nog even langskomen,' zei ze.

Annie stond al overeind en wilde naar de hal lopen, maar Lotte gebaarde dat ze zelf naar de deur ging.

De huishoudster keek haar zwijgend na en dronk behoedzaam van de hete koffie. Beste vent, die dokter. Die had vanmorgen geen een-voudige boodschap af te geven. Hij deed het dan toch maar, hij had het ook aan de politie kunnen overlaten. Die deftige lapzwans van een Van het Zand liet zich niet zien, daar was hij ook om bekend.

Als de rechter thuis was geweest, was de jonge arts misschien de deur uitgevloekt. Ach, de juffrouw was een fatsoenlijk mens, dat was het verschil met die ouwelui van haar. Als juffrouw Lotte er niet was geweest, was Annie al lang weggeweest, daar hoefde niemand aan te twijfelen. Zo goed was het hier niet werken.

Ze was gisteravond toch naar de directeur van de zuivelfabriek gegaan. Ze had gesproken met de vertrekkende huishoudster, die ging trouwen met een weduwnaar. Ze was jaren bij de familie geweest, tot grote tevredenheid, zei ze er met nadruk bij. Het speet haar zelfs dat ze moest vertrekken, maar ja, ze kreeg haar eigen huis-houding. Maar Annie was nog niet zover dat ze al had toegestemd in de nieuwe baan. Ze had nog een paar bedenkdagen gevraagd.

Ze verkeerde in diepe tweestrijd. De familie van de zuivelfabriek zou wel begrijpen dat ze nu even wat anders aan haar hoofd had.

Als alles straks achter de rug was, ging ze toch weer eens praten. Als mevrouw begraven was, ontstond er een heel andere situatie. Dan zou de juffrouw ongetwijfeld vertrekken voor langere tijd en dan bleef Annie hier voor geen geld met die rechter over de vloer.

Ze liep nog liever werkloos bij de deur dan hier te werken voor die man. Dat was geen werken, dat was slavenarbeid.

Ze hoorde stemmen. Ja dacht ze, het is de dokter. Ze schonk zich nog maar een kom koffie in. Ze wilde wachten tot de dokter weer was vertrokken.

Lotte sloot de deur achter de jonge arts en maakte ecn gebaar naar de kleine salon. 'Komt u verder, dokter.'

Hij volgde haar ditmaal en ging zitten toen ze naar een stoel wees. 'Hoe gaat het?' Het klonk warm en vol belangstelling.

Lotte merkte het niet. Ze haalde de schouders op. 'Raar,' zei ze zachtjes. 'Ik kan het niet goed bevatten, al ben ik van alles aan het regelen...'

Hij knikte begrijpend. 'Kan ik ergens mee helpen?'

Ze schudde het hoofd. 'Nee, dank u wel, er is gedaan wat gebeuren moest. De begrafenisondernemer neemt het meeste op zich. Hij gaat nog even langs het gemeentehuis, zorgt voor een aantal andere zaken. Mijn moeder zal in Den Haag begraven worden, dat is haar wens...'

De arts keek om zich heen. 'Hoe is het met uw vader?' vroeg hij ineens. Het ging vaak met zulke autoritaire figuren helemaal mis als er een dergelijke onverwachte klap uitgedeeld werd. Dan stortten ze volkomen in elkaar, dat wist hij uit ervaring.

Ze keek hem bijna hulpeloos aan. 'Hij weet nog van niets,' mompelde ze. 'Hij is nog steeds niet thuis. Ik weet niet waar hij is.'

Hij knikte zwijgend. Maar de uitdrukking op zijn gezicht zei voldoende. Hij zweeg een tijdje, toen stond hij op. 'Ik zal u een slaapmiddel geven voor vannacht,' zei hij rustig.

'Dokter,' zei ze ineens. 'Wilt u nog even gaan zitten?'

Hij liet zich verrast weer zakken op de stoel en keek haar vragend aan.

'Als u vanmorgen niet met die onheilsboodschap was gekomen dat mijn moeder is overleden, was ik vandaag vertrokken naar Den Haag,' vertelde ze ineens.

Hij hief met een ruk het hoofd op. Zijn ogen stonden argwanend. 'U kunt mij waarschijnlijk ook vertellen wat er in het verleden is gebeurd met mijn familie, met mijn moeders familie,' voegde ze er haastig aan toe. Met vaders familie lag het vermoedelijk een stuk duidelijker. Vader noemde zich lid van een familie, die niet de zijne was. Zijn echte familie zou veel minder aanzienlijk zijn.

'Juffrouw, daar is het nu de tijd noch de omstandigheid voor,' zei hij rustig. 'U hebt wel iets anders om aan te denken, dan aan zaken die allang verleden tijd zijn.'

Ze schudde het hoofd. 'Als ik mijn moeder toch moet gaan begraven, dan begraaf ik haar liever zonder geheimen, dan dat ik achteraf haar nagedachtenis moet gaan bekladden met allerlei akelige en persoonlijke vragen aan derden. Ik weet dat er iets is gebeurd met die deftige familie. Dat heeft u zelf al verklaard. In een generatie afgezakt van deftig tot niets...'

Hij zweeg een ogenblik. Ze was niet dom, dacht hij. Dat had hij ook niet verwacht van deze dame. Als haar moeder niet was overleden had ze zonder al te veel moeite ontdekt wat er zich jaren geleden in Den Haag had afgespeeld. Dat had ze op bijna iedere straathoek kunnen vernemen.

Ze bood hem koffie aan. Hij accepteerde zelfs gretig. Hij had nog niet gegeten en hij rammelde na een lange dag van visites maken.

Ze stond op en liep naar de koffietafel in de hoek.

Achter haar rug merkte hij op: 'Uw grootmoeder was hofdame bij de koningin, dat zult u ongetwijfeld tot vervelends toe hebben moeten aanhoren.'

Ze knikte zonder om te zien.

'Hofdame is en was een baan die meer met eer heeft te maken dan met een goed loon. Er wordt veel verwacht van een dame aan het hof, van al het personeel overigens. Een goede hofdame krijgt het niet in haar hoofd om te trouwen, ze blijft in dienst van het koninklijk huis...'

Lotte draaide zich om en liep terug. 'Mijn grootmoeder wilde wel trouwen?' vroeg ze langzaam.

'Ja, zo zou je het kunnen noemen...' zei hij toen en zweeg.

Ze zette het kopje koffie voor hem neer. 'Is dat dan zo bijzonder, want u zei dat heel Den Haag het verhaal van deze hofdame kent. Er zal wel vaker een hofdame zijn vertrokken omdat ze trouwde.'

Hij zweeg en staarde haar aan. Hij knikte wat bruusk.

'Maar het lag anders met mijn grootmoeder?'

Hij roerde in de koffie en langzaam keek hij op. 'Het verhaal gaat dat de hofdame werd weggestuurd, niet omdat ze wilde trouwen, maar omdat ze ongehuwd zwanger was.'

Lotte keek hem verbijsterd aan. 'Zwanger, zonder gehuwd te zijn en dat in mijn moeders deftige familie?'

Ze zou bijna in de lach geschoten zijn als de omstandigheden niet zo triest waren geweest. Een gedwongen huwelijk kwam in alle geledingen van de maatschappij voor.

'En dat moest in de doofpot gestopt worden door een overhaast huwelijk?'

'Precies, juffrouw. Uw grootmoeder, een baronesse uit het Brabantse land, trouwde tamelijk onverwacht met de jonkheer De l'Eau tot Lichtenstein.'

Ze fronste de wenkbrauwen. 'Was hij niet de vader?'

'Nee. Het is nooit bekend geworden wie de vader was, maar er gingen genoeg geruchten over de biologische vader. Die moest gezocht worden in de hoogste kringen van het land. De vader, zo gingen de geruchten, was een getrouwde man.'

Lotte vroeg niet verder. Ze wist genoeg. Er was een bruidegom gezocht voor de hofdame, een adellijke nog wel.

'Ze trouwde dus met een jonkheer...' merkte ze op. 'Mijn moeder was de enige dochter. Mag ik stellen dat zij van heel hoge afkomst is, biologisch gezien dan?'

Het antwoord viel hem ergens tegen. Ze was toch gevoelig voor haar deftige adellijke familie. Een jonkheer was blijkbaar niet voldoende, het moest bij voorkeur nog hoger zijn...

'Nee,' zei hij vrij kortaf, 'het kind waarom uw grootmoeder trouwde en dat haar van het hof verdreef, werd doodgeboren. Uw moeder is een echte jonkvrouw De l'Eau tot Lichtenstein... Al wordt dat ook betwijfeld.'

'Hoezo?'

De jongeman keek haar onvriendelijk aan. 'U wilde alles weten tot in de smerigste details. Goed, vooruit dan maar. De jonkheer stond bekend als een notoire zuiplap. Hij was vele jaren ouder dan zijn vrouw en hij had het hele familiebezit al naar de kelder geholpen. Er mag worden betwijfeld of hij nog in staat was kinderen te verwekken. Uw moeder werd zes maanden na zijn dood geboren, althans dat is de officiële versie Ze werd wel aangegeven in Den Haag, maar is daar niet geboren. Ze werd geboren in het buitenland...'

'Waarom staat er dan dat ze wel is geboren in Den Haag?'

Hij grinnikte onvriendelijk. 'Papier is geduldig en geld maakt recht wat krom is. Duidelijk genoeg?'

Lotte slikte iets weg en knikte. Schor vroeg ze: 'Wie was die onbekende vader van dat eerste kind?'

'Daar gaan tientallen geruchten over. Voor geen van die geruchten bestaat ook maar het geringste bewijs. Ik begrijp dat u dit liever niet geweten had. Maar als u in Den Haag informatie opvraagt, zult u nog veel meer details moeten aanhoren, details waarvan het maar de vraag is of ze waar zijn.'

Lotte knikte. Dus al die verhalen van moeder over dat deftige huwelijk waren niet waar. Half Den Haag had gelachen om die bruiloft van een man, die zich horens liet aanmeten door een zwangere weggestuurde hofdame te trouwen, en ook na het huwelijk was het maar de vraag of hij als echtgenoot fungeerde.

De arts stond op en nam zijn dokterstas, die naast zijn stoel stond.

'Lotte,' zei hij ineens en zweeg even. Als ze op haar moeder leek zou hij de deur uitgescholden worden. 'Trek het je niet aan. Het is lang geleden en je moeder had er beter aan gedaan zich wat bescheidener op te stellen, gezien haar achtergrond. Dat had haar een hoop geklets bespaard. Mensen vergeten niet snel en ze weten altijd meer. Er zijn vele manieren om aan informaties te komen.'

Ze stemde toe tot zijn verrassing. Ze tikte hem niet op de vingers vanwege zijn familiaire benadering. Misschien had ze het niet eens gehoord, dacht hij toen.

Hij reikte haar de hand en hield hem een ogenblik vast. Toen knikte hij vriendelijk en liep naar de deur. Hij had nog wel even willen blijven, maar hij begreep dat hij dat niet moest doen. Dat liep in de gaten.

Ineens zei ze, terwijl hij de deur al in de hand had om hem achter zich te sluiten: 'Tussen haakjes, kent u de naam De Beauhertain? U bent toch aardig bekend in Den Haag en omstreken?'

Hij knikte tot haar verrassing. 'Ja, die naam ken ik. Het is een van oorsprong Franse familie, afkomstig uit het Alpengebied Beaufortain. De naam Beauhertain is vermoedelijk een Nederlandse verschrijving van lang geleden. Ze schijnen begin 1800 met de eerste koning Lodewijk Napoleon naar Nederland te zijn gekomen. Er is een aantal diplomaten en hoge ambtenaren voortgekomen uit die familie.' Hij grinnikte ineens. 'Deze familie heeft ook te maken gekregen met tegenslag zoals zo veel van die Haagse upper ten. Ze zijn nog in redelijk goede doen, maar om nou te zeggen dat ze echt rijk zijn, nee.'

Hij hoorde haar keurige manier van spreken met 'u' en besefte dat de afstand tussen hem en haar nog heel groot was. Nee, geen vertrouwelijkheden meer spuien, jongen, dat kan niet. Zeker nu niet.

'Waarom vraag je daar naar?' vroeg hij en gebruikte met opzet 'je' in plaats van het formele 'u'.

'Dat was de naam van de vrouw die bij mijn moeder was toen ze overleed. Ze waren beiden op weg naar Baden Baden, een juffrouw

Charlotte de Beauhertain, zo heet ze. Ze zou uit Den Haag komen.'
Hij keek haar even met open mond aan. Het was zijn beurt om verrast te zijn, maar hij lichtte het niet toe, en hij had ineens erg veel
haast om weg te komen.

Pas laat in de avond kwam de rechter terug, aangeschoten net als de
vorige avond.
Hij zag dat er nog licht brandde. Lotte zou hem weer opwachten
met die verwijtende ogen en haar afkeurende manier van doen.
Daar had ze helemaal het recht niet toe.
Wat wist zij van de narigheden die hem overspoelden? Ze had er
geen benul van, ze leefde haar zorgeloze rijkeluisleventje, dank zij
hem en dat moest ze eigenlijk eens goed beseffen. Het had heel
anders kunnen lopen voor haar, hij had heel anders kunnen optreden.
En dan zijn vrouw, die was alleen maar uit op een gemakkelijk
leventje. Dat had ze zich ook verworven door de jaren heen. Wat
had hij aan haar nu iedereen zich tegen hem keerde? Wat had hij
ooit aan haar gehad? Hij had lang geleden minder gecharmeerd
moeten zijn van een duur klinkende naam.
Hij had het later ook heel anders moeten aanpakken. Hij had haar
jaren geleden ijskoud op straat moeten zetten.
Hij kon nu geen kant op. Vandaag had hij de trein genomen naar
Enschede en had daar wat rondgewandeld. Wat moest hij anders. In
Almelo voelde hij de blikken en het gefluister achter zijn rug. Wat
wisten ze allemaal van hem? Sommigen hadden hem al dingen voor
de voeten gegooid waarvan hij gezworen zou hebben dat hij het
goed geheim had weten te houden.
Hij had een paar borrels gedronken in een café onderweg en hij had
zich daarna op weg begeven naar huis. Iemand had zelfs de gore
moed hem uit te schelden toen hij het station verliet. Hij wilde het
woord niet eens herhalen, maar het bewees wel wat voor een niveau
de vent was geweest. Dat kon zich niet meten met het zijne.

Hij stommelde de hal in en gooide de deur onzacht achter zich in het slot.

Die dochter zou wel naar de hal komen hollen om hem weer eens de les te lezen, maar hij liet zich deze keer niets zeggen, daar kon ze op rekenen. Als ze weer uitviel zou hij haar eens iets vertellen waar ze van zou opkijken. Dan zou ze begrijpen dat ze zich beter gedeisd kon houden.

Ja hoor, daar had je het al... Ze stond daar met een wit gezicht en grote holle ogen. 'Waar was je vandaag?' vroeg ze schor.

'Dat gaat je niet aan.'

'Ik heb alles alleen moeten regelen,' zei ze ijskoud.

'Wat alleen geregeld. Jij hebt niets te regelen.'

Ze draaide zich om en wilde weer naar de warme salon lopen. 'Vanmorgen kwam het bericht dat moeder is overleden...' zei ze enkel en sloeg de deur achter zich dicht.

Het drong langzaam tot hem door. Overleden, wie, zijn vrouw? Dat kon niet, die zat ondertussen in Baden Banden zijn centen op te maken. Overleden? Hoe kon dat? Hoe zat dat? Waarom wist hij van niets?

Met drie stappen was hij bij de deur naar de kleine salon. 'Wat bedoel je, moeder is overleden?'

'Net wat ik zeg. Moeder is overleden in de trein naar het Zwarte Woud. De politie is al geweest, de dokter, en de notaris ook al. Morgen komt ze thuis. Volgens haar testament wil ze begraven worden in Den Haag.'

Hij ging zitten en staarde haar met open mond aan. Zijn ietwat benevelde brein bevatte het niet helemaal, maar het drong langzaam door: dood, zijn vrouw was dood.

Hij was de hele dag onbereikbaar geweest. Dat had geen goede indruk gemaakt in de stad, daar kon hij vergif op innemen. Iedereen was al geweest, terwijl hij onzichtbaar was. De dokter, de notaris, de politie. Welke dokter. Van het Zand? Of die andere, die snotneus, die Bernards heette...

Daar had hij al de nodige informaties over ingewonnen. De vent was daadwerkelijk een afstammeling van die familie uit Aerdenhout. Weliswaar een tak die niets te betekenen had en onterfd was, maar toch. Als dat bekend werd in Almelo... Dat kon hij er nou eventjes niet bij hebben.

Hij moest wel zorgen dat Lotte die vent niet te vaak tegenkwam. Ze had toch al de neiging met iedereen aan te pappen.

'Ik heb de zaken allemaal geregeld,' zei zijn dochter kalm. Het verwijt was levensgroot aanwezig, het sprak uit haar hele houding.

Ze stond op en liep rakelings langs hem heen zonder hem nog een blik waardig te keuren. 'U sluit verder wel af?' vroeg ze kortaf en liep de trap op.

11

HET WAREN DROEVIGE DAGEN GEWEEST ONDANKS ALLES, DACHT LOTTE later. Ze had haar vader amper gezien in die dagen tussen de dood van moeder en de begrafenis. Hij was wel meer thuis geweest en dat was misschien nog moeilijker te verdragen dan wanneer hij uithuizig was geweest.

Lotte vroeg zich naderhand af wat er precies allemaal was voorgevallen. Ze wist het eenvoudig niet meer. Alles was vreemd sinds het moment dat de lijkkoets voorgereden was, en het lichaam van moeder het huis was binnengedragen in een verzegelde kist.

Vader wilde een advertentie laten plaatsen met als opschrift dat zijn innig geliefde vrouw plotseling en onverwacht was overleden. Toen hij kortaf meedeelde dat hij naar de krant ging om die advertentie op te geven, zag hij in de ogen van Lotte zo veel minachting dat hij er toch maar vanaf zag. Het was misschien achteraf bezien niet zo'n goed idee. Hij was het niet eens met een begrafenis in het verre Den Haag. Het kostte handen vol geld, had hij verklaard. Wat had zijn vrouw nog met Den Haag uit te staan? Ze woonde al jaren in Almelo. Nee, ze werd hier begraven.

Het testament gaf duidelijk aan wat moeders wens was. En mopperend gaf de rechter toe. Misschien wel omdat hij een meer dan ongewenste belangstelling zou krijgen als de begrafenis hier plaatsvond. De geruchten zouden de eerste dagen nog aanwakkeren nu mevrouw zo plotseling was overleden. Men zou zich afvragen hoe dat allemaal kon gebeuren en of het wel een normaal overlijden was. Maar hij was niet van plan er een societygebeuren van te maken, verklaarde hij nors.

Lotte zweeg, al voelde ze bijna de minachting van het personeel over deze in hun ogen goddeloze gang van zaken. De vent had ook geen enkel respect voor zijn overleden vrouw. Hij gedroeg zich als een eersteklas vlerk, zelfs een arbeider had nog meer fatsoen, siste een van de dienstmeisjes.

Annie kon dat alleen maar beamen. Ze dacht aan de dagen dat haar moeder nog boven de aarde stond. Hoe haar vader elke avond zwijgend bij de kist zat die in voorkamer stond. 'Ach vrouw, ach vrouw, hoe moet het nou verder?' zei hij meer dan eens. Hoe vaak zei hij nu, na vijf jaar nog niet: 'Als je moeder dat nog eens mee had mogen maken. Dat zou ze prachtig gevonden hebben.'

Als haar vader zo over zijn overleden vrouw zou praten zoals die rechter dat deed, keek ze hem nooit meer aan, dacht Annie. Dat zou de juffrouw ook moeten doen, maar die was niet anders gewend.

Er kwamen weinig mensen om te condoleren, merkte ze. De dominee kwam natuurlijk en ook de voorganger van de Protestanten Bond. Dokter Bernards maakte zijn opwachting. Annie had het gevoel dat de dokter zich niet op zijn gemak voelde. Het was heel anders dan een paar dagen geleden. Toen zou ze bijna gezworen hebben dat hij niet alleen maar als dokter op bezoek kwam, dat hij wel eens een oogje op de juffrouw kon hebben. Nu was hij formeel en afstandelijk, zag ze.

Dokter Van het Zand liet zich niet zien en ook weinig collega's van de rechtbank kwamen langs. De rechter wond zich erover op. Het volk van Almelo liet hem danig in de steek, vond hij. Hij had zijn vrouw verloren.

Lotte zweeg erover. Nee, vader, ze gunnen je de rol niet van treurende weduwnaar en ze hebben nog gelijk ook. Ze weten immers wel beter.

Het was een akelige reis naar Den Haag in de trein, terwijl het lichaam van moeder in een loden kist werd vervoerd per auto. Dat ging eenvoudiger, verklaarde de begrafenisondernemer. De trein was niet ingericht op het vervoer van overledenen. Het vele overstappen van de ene trein naar de andere kostte te veel moeite, en er zou gemakkelijk iets mis kunnen gaan. Je moest er toch niet aandenken dat de familie in Den Haag stond en het lichaam in Utrecht. Het was allemaal zo onwezenlijk, vond Lotte; alsof ze ergens in verzeild was geraakt dat helemaal niets met haar te maken had.

Gedurende de reis naar Den Haag was haar vader zwijgzaam en nors. Lotte merkte niets van aangeslagenheid of verdriet bij hem. Hij gaf te kennen dat het allemaal verdraaid slecht uitkwam nu hij zijn handen vol had in Almelo. Nee, nu was er geen schijn op te houden, nu liet hij zijn gewone gezicht weer zien, dacht ze met een strak gezicht. Waaraan had hij zijn handen vol? Hij had zichzelf in de problemen gewerkt, die moest hij niet afschuiven op anderen.

Ze had Annie gevraagd om mee te gaan naar Den Haag. Die schrok er van en stemde aarzelend toe. De huishoudster voelde zich duidelijk niet op haar gemak in de trein. Zo vaak zat ze daar niet in en zeker niet zo'n eind. Ze bleef bij elke wisseling van trein zo dicht mogelijk bij Lotte, en kaartjes kopen deed ze al helemaal niet.

Ze konden het niet in een dag redden en zouden overnachten in een hotel. Annie was nog nooit in een hotel geweest. Ze had al twee nachten niet geslapen van de spanning. Zelfs haar vader en broer waren aangestoken door de grote reis die Annie ging maken.

De treinreis was nog erger geweest als de rechter tegenover haar had gezeten, maar de man wilde eersteklas reizen. Tussen al dat arbeidersvolk hoorde hij niet, vond hij. Samen reizen met personeel – het werd uitgesproken als een vies woord – hoorde zijn dochter ook niet te doen.

Lotte liet hem alleen vertrekken naar een andere coupé, ondanks het gebod dat ze mee diende te gaan naar de eersteklas wagon. Zij bleef met Annie zitten op de harde bank, en Annie vond dat het daarna nog bijna prettig werd als men even niet aan de droevige reden van de reis dacht.

Ze was nog nooit in Den Haag geweest en ze keek haar ogen uit vanwege al de grote gebouwen, brede lanen en deftige huizen. 'Het spijt me, juffrouw, maar komen we ook nog langs het paleis van de koningin?' fluisterde ze verlegen.

'We komen er langs als we terugkomen,' zei Lotte vriendelijk en ze reden met de tram naar de begraafplaats, waar moeder zou worden bijgezet in het aloude familiegraf. Een dienst werd er niet gehouden, had vader beslist. Hij moest toch op een punt zijn zin doordrijven.

Ze zag haar vader pas weer bij het grote hek van de begraafplaats. Achter hem, op een verhoging, het restant van een ruïne, het leek een stuk muur van een oude kapel. Lotte wist alleen dat de begraafplaats eeuwenoud was en dat er nogal wat prominente personen uit het verleden begraven lagen.

Ze kon er bijna om glimlachen. Ja, bij zulke figuren zou haar moeder wel willen liggen. Wat zou ze er van merken? Of ze nou hier lag of in Almelo, wat maakte het uit? Maar het was haar laatste wens en die diende te worden gerespecteerd.

Lotte was nog nooit op deze begraafplaats geweest en kende het graf van moeders familie niet. Ze liep langzaam achter de doodgraver aan, gevolgd door Annie, die netjes op een meter afstand bleef. Haar ogen gleden over de graven, over de zerken en kostbare monumenten.

Haar vader liep naast haar en zijn norse blikken golden de baar, die voor hen uit werd gedragen. Het kwam allemaal verdraaid slecht uit, dacht hij geërgerd. Maar aan de andere kant had het ook zijn voordelen. In Almelo hadden de mensen de tongen blauw gepraat. Hier ging het in grote anonimiteit.

Na enige tijd werd er gestopt. De kleine stoet was aangekomen bij het familiegraf, een soort van grote tombe leek het. Was het een grafkelder? Op de zandstenen plaat stonden de namen gebeiteld van de mensen die hier begraven waren.

Verbaasd las Lotte de namen van haar voorouders geboren vanaf begin 1800, allemaal met de naam De l'Eau tot Lichtenstein. Zelfs grootmoeder, de weggestuurde hofdame was hier bijgezet, zag Lotte tot haar verbazing.

Het grafmonument was niet goed onderhouden en zag er zelfs verwaarloosd uit, dacht ze. Vergane glorie, schoot het door haar heen. Had die jonge dokter dat ook niet gezegd? In een generatie van rijk tot niets. Ze geneerde zich een beetje voor Annie die dit ook moest opmerken.

Bij de sobere plechtigheid waren bijna geen mensen aanwezig, alleen een haar onbekende dominee, de beheerder van de begraafplaats en de begrafenisondernemer. De rechter, zijn dochter en de huishoudster waren er, verder niemand. Dat zou vroeger anders geweest zijn, dacht Lotte. Dan zou half Den Haag hier hebben gestaan. Wanneer was dat 'vroeger', een generatie terug?

Lotte had min of meer die mysterieuze mevrouw de Beauhertain verwacht, maar die verscheen niet. Dat kon ook niet, schoot het haar te binnen. Ik weet niet waar de vrouw woont, ik kon haar dus ook geen bericht sturen van de begrafenis. Ze weet niet eens dat mijn moeder in Den Haag wordt begraven. Misschien is ze ook wel doorgereisd naar dat kuuroord.

Na de korte plechtigheid liepen de aanwezigen zwijgend weg. De dominee had nog een paar woorden en een gebed uitgesproken, maar de rechter had hem te kennen gegeven dat het niet op prijs werd gesteld. De dominee zweeg wat verward.

Lotte liep terug naast de dominee en bood haar verontschuldigingen aan. Ze vroeg hem of hij tijd had om een kop koffie te drinken met een broodje erbij.

Hij knikte en ze liepen naar een restaurant, niet ver uit de buurt van de begraafplaats. De begrafenisondernemer nam beleefd afscheid en ging snel op weg naar zijn volgende opdracht. Zijn ondoorgrondelijke gezicht sprak in wezen boekdelen, dacht de jonge vrouw. Die had dit soort sociale armoede niet verwacht bij een familie met een dubbele naam. Of misschien ook wel, als hij bekend was in Den Haag. Dat zou hij ongetwijfeld zijn.

De rechter was al verdwenen zonder verder iets te zeggen. 'Het spijt me, mijn vader is zichzelf niet,' mompelde ze tegen de dominee.

De predikant knikte begrijpend. 'Het lijkt op de teraardebestelling van uw grootmoeder,' zei hij ineens. 'Toen was er ook bijna niemand aanwezig. Uw moeder en nog wat kennissen, meer niet, zelfs uw vader was er niet.'

Lotte stond verrast stil. 'Kende u mijn grootmoeder?' vroeg ze gretig.

'Ik sta hier in Den Haag al jaren als predikant. Ik ben zo goed als gepensioneerd. Ik heb uw grootmoeder begraven, al vele jaren geleden. Ik denk dat u nog maar een klein meisje was. Arme vrouw, ze is niet oud geworden... Amper vijftig. Uw moeder haalde dat nog niet eens, heb ik begrepen.'

'Dominee, kan ik een afspraak met u maken om eens over mijn familie te komen praten?' vroeg ze dringend. 'Het liefst op korte termijn. Ik ben nu in Den Haag, ik weet niet of ik binnenkort nog terug zal komen.'

De oudere man keek opzij. 'Ik weet weinig van uw familie,' zei hij lichtelijk ontwijkend.

'U weet allicht meer dan ik. Ik weet zo goed als niets,' merkte Lotte op.

Hij knikte. 'U gaat morgenvroeg terug naar het oosten van het land? Zullen we dat gesprek dan meteen maar voeren?' bood hij aan. 'Ik heb nu nog wel even tijd.'

Ze knikte zonder aarzelen.

Annie wilde zich zwijgend terugtrekken, maar Lotte gebaarde dat ze gewoon moest blijven zitten. Ze bestelde nog een kom koffie en vroeg er een broodje bij voor haar en de andere twee. Ze rammelde van de honger.

Het werd gedienstig gebracht.

De oudere man met zijn witgrijze haren leunde voorover en tastte gretig naar het broodje na een ogenblik van stilte. Annie zat met stijve vingers aan het broodje te plukken. Ze had trek, maar haar tafelmanieren waren onvoldoende, meende ze. Toen zag ze hoe de dominee handig van het broodje afbeet zonder mes of vork te gebruiken. Lotte volgde hem en pakte ook het broodje met haar vingers beet.

Een beetje opgelaten volgde Annie ook maar. Zo kreeg ze tenminste iets in de maag. Na het eten stond ze meteen op en kondigde met een excuus aan dat ze naar buiten ging. Ze ging een eindje om als de juffrouw het goed vond. Lotte knikte haastig. Ja, graag zelfs. Annie was een beste vrouw, maar het was haar liever dat ze niet op de hoogte was van de geschiedenis van de familie De l'Eau tot Lichtenstein.

Ze had het gezicht van de huishoudster gezien toen ze bij het half verwaarloosde grafmonument stond. Die zou heel wat gedacht hebben...

Annie liep weg, opgelucht dat ze vertrekken kon. Met een uurtje zou ze terug zijn, beloofde ze. Buiten bleef ze even staan en stak toen de straat over en liep terug naar de oude begraafplaats. Die wilde ze graag nog eens bekijken en ze wilde ook nog even terug naar dat deftige graf van mevrouw.

Het was zo heel anders dan in Almelo. Daar zag je die dure grafmonumenten niet, alleen van de textielfabrikanten en die waren vaak nog eenvoudig vergeleken met wat hier op de graven stond. Ze waren ook niet zo oud als hier.

Lotte keek haar een tijdje na.

'Lotte, mag ik Lotte zeggen?' vroeg de man langzaam. Ze knikte toegeeflijk.

'Ik ken je ouders wat minder, maar je grootmoeder kende ik redelijk goed. Je grootvader niet, die was al overleden voor ik hier predikant werd.' Hij zweeg een tijdje.

'Zeg het maar dominee, een familie die het hart hoog droeg?' vroeg ze rustig.

De dominee glimlachte wat terughoudend en ontkende het niet. Hij was verbaasd over de jonge vrouw. Die was zo totaal anders dan haar moeder was geweest. Die had zich gedragen als de dochter van de hofdame waar iedereen voor had te buigen als een knipmes, compleet met een bekakt taalgebruik en een hete aardappel in de keel.

Ze had blijkbaar nooit gemerkt dat de glorieuze tijden van het hofleven voorbij waren. Dat ze door haar houding alleen maar hoon opriep. De grootmoeder was heel anders geweest, bedacht hij nu. Ja, een hofdame, maar geen onsympathieke vrouw. Jammer dat ze zich zo in de problemen had gewerkt. Daar had de familie talent voor, had hij wel begrepen.

Later had hij gedacht dat het een houding was, die ze zich had aangemeten om de teloorgang van de familie te verbergen. Hij had gehoord van anderen dat de overledene die ze net hadden begraven ook anders kon zijn... Maar daarvoor had hij haar niet goed genoeg gekend.

Hij had de vader, die rechter was, maar een keer eerder gezien en dat was jaren geleden. Ooit had hij het huwelijk ingezegend van die twee mensen, de ouders van de jonge vrouw tegenover hem. Hij had zich toen nog afgevraagd of hij dat wel moest doen. Dat huwelijk was een aanfluiting, er was geen enkele genegenheid tussen man en vrouw, geen enkele blijk van liefde. Hij had niet anders verwacht dan dat binnen de kortste keren een scheiding zou zijn gevolgd, zoals meer gebeurde in deze kringen. Geen officiële scheiding, maar wel aparte woningen en aparte levens. Zoiets kwam zelfs in de hoogste kringen voor, al was het volk daarvan niet op de hoogte.

Hij had hen na het huwelijk uit het oog verloren. Het echtpaar was vertrokken naar het oosten van het land. Eigenlijk was hij verwonderd over het feit dat dit huwelijk het al die jaren had uitgehouden. Hij vroeg zich maar niet af onder welke voorwaarden.

'Ik weet wat er met mijn grootmoeder is gebeurd,' zei Lotte kalm. 'Ze werd weggestuurd van het hof...'

De dominee knikte. 'Het hof had in die jaren geen beste naam, Lotte. Er wordt zelden over gesproken, maar ook aan het hof zijn de mensen van vlees en bloed, met alle gevolgen van dien. Ook al gedroegen ze zich alsof ze hoog boven iedereen verheven waren omdat ze aan het hof dienden. Het enige uitzonderlijke was dat ze van hoge geboorte waren, want in vroegere jaren kwam men niet in aanmerking voor een betrekking aan het hof als men niet van adel was. Daar begint nu verandering in te komen.'

'U hebt mijn grootvader gekend?'

'Nee, het spijt me, die was al overleden toen ik hier kwam als predikant, al heb ik veel over hem gehoord. Hij was ook geen onbekende in Den Haag.'

'De teloorgang van het geslacht had toen ook al ingezet?'

Hij glimlachte om haar deftige woorden, maar hij knikte. 'Ja, u zegt het treffend. Ik heb vernomen dat de familie hier al vele generaties woonde en eigenlijk een gerenommeerd Frans adellijk geslacht was. Uw verre voorvader kwam hier in de zeventiende eeuw toen de protestanten Frankrijk uit werden gejaagd door Lodewijk XIV, de Zonnekoning. Ja, de familie heeft wel gezorgd dat dit door de jaren heen algemeen bekend bleef in Den Haag. In tegenstelling tot veel van zijn lotgenoten vestigde uw zeventiende-eeuwse voorvader zich van meet af aan in Den Haag in de nabijheid van de Nederlandse regering. Hij maakte hier een grote maatschappelijke groei door en verkreeg een groot fortuin. Kortom, een geslaagde man, zouden we zeggen. Zijn kinderen hadden goede huwelijken, trouwden door de jaren heen met leden van adellijke Nederlandse en Belgische families. Ja, een familie die het eeuwenlang goed gedaan heeft, mogen we wel stellen.'

'Wanneer ging het mis?' vroeg ze kalm.

Hij boog even het hoofd. 'Na de Franse tijd. In de jaren van de vorige eeuw klapte de handel in Nederland en in Europa in elkaar. Er heerste grote armoede onder het gewone volk, vele boeren ging failliet en ook de rijke families kregen flinke verliezen te dragen. Dat kan nog aangemerkt worden als omstandigheden die buiten de schuld lagen van uw familie. Uw grootvader had echter niet het doorzettingsvermogen van zijn voorvaderen. Hij miste de handelsgeest en het inzicht om er weer bovenop te komen en waarschijnlijk ook de werklust. Hij was een erfgenaam die verspilde wat zijn voorouders hadden opgebouwd, zoals dat vaker gebeurt als erfgenamen de rijkdom in de schoot geworpen krijgen. Mislukte zaken, domme beleggingen, maar vooral een veel te royale levensstijl. Zijn eerste vrouw stierf van verdriet om zijn spilzucht; dat wordt tenminste beweerd.'

Lotte boog zich voorover. 'Was mijn grootvader twee keer getrouwd?'

'Ja, de tweede keer met uw grootmoeder.'

'Een gearrangeerd huwelijk,' stemde ze in.

'Min of meer, ja. Uw grootvader stierf toen uw moeder een jaar of achttien was. Ik herinner mij nog dat er nogal wat narigheid was toen uw ouders in het huwelijk traden. Er gingen heel wat geruchten door Den Haag. Het mag dan een grote stad zijn, soms is het net een klein dorp. Uw grootmoeder was het onderwerp van veel geroddel gedurende haar leven. Ze gaf er ook wel aanleiding toe moet ik zeggen. Haar levenswandel riep commentaar op, al durf ik verder te beweren dat zij in feite een aardige vrouw was met veel minder kapsones dan veel van haar collega's, al is zij na haar huwelijk sterk veranderd.' Hij keek haar bijna verontschuldigend aan.

Ineens schoot die opmerking van haar moeder door Lotte heen: 'mijn moeder had haar eigen zorgen toen ik trouwde'... Daarom was er amper naar de bruidegom en zijn achtergrond gekeken. Geen huwelijkse voorwaarden, geen onderzoek naar de antecedenten.

De familie was al een groot deel van haar aanzien kwijt. De laatste woorden van de dominee over de persoon van haar grootmoeder gleden langs haar heen.

'Hoezo? Erg veranderd?' vroeg ze langzaam.

'Er gingen sterke geruchten over dat huwelijk van je grootmoeder, nog jaren na haar overlijden moet ik zeggen. Het zou heel slecht zijn geweest. Ik heb ook meer dan eens horen vertellen dat zij de echtelijke woning al heel snel na het huwelijk wilde verlaten. Uw grootvader stierf erg plotseling en er gingen weldra geruchten dat uw grootmoeder haar man vergiftigd had.'

Hij zag haar geschrokken reactie. Het meisje wist nergens van, besefte hij. Moest hij dit allemaal wel vertellen? Hij zag haar wit wegtrekken toen hij het woord vergiftigd in de mond nam.

Snel bezwoer hij haar: 'Dat bleek achteraf absoluut niet waar, dat zeg ik met klem. Er bleek geen enkele aanleiding om te veronderstellen dat de dood van je grootvader een andere reden had dan zijn alcoholverslaving.'

'Waarom dachten ze dat mijn grootmoeder hem vergiftigd had?'

De dominee keek wat opgelaten, alsof hij vond dat hij zat te roddelen. 'Ze gedroeg zich niet als een lid van de hooggeboren families met al zijn tradities en gewoontes. Ze leek lak te hebben aan alle normen en waarden. Het was algemeen bekend dat het huwelijk niet deugde. Een slecht huwelijk houdt men achter de gevels en brengt men niet in de openbaarheid. Dat deed zij dus wel. Ze wilde echtscheiding.'

Lotte boog het hoofd. Dominee zei het netjes. Hij wilde geen roddels vertellen, maar Lotte had al meer gehoord over dat huwelijk. Er moest getrouwd worden, had de jonge dokter Bernards verteld. Een hofdame werd geen ongehuwde moeder. En dan daarbij ook nog deze geschiedenis over de dood van grootvader. De familiegeschiedenis bestond de laatste generaties bol van de schandalen.

'Uw moeder was in die dagen verloofd met een jongeman van een gegoede familie. Die verloving werd meteen verbroken toen de geruchten over haar moeder de ronde begonnen te doen. Ik geloof dat uw moeder die verbroken verloving nooit heeft verwerkt. Ik had zelf het gevoel dat zij oprecht van die jongeman hield.'

Lotte slikte iets weg. Niet te geloven, moeder die werkelijk om iemand gaf. Dat was helemaal nieuw. Maar ergens begreep ze het wel. Het moest haar hart gebroken hebben om aan de kant te worden gezet om haar moeders gedrag.

'Heel kort daarna kwam ze met een andere man op de proppen, een briljante student, dat dient gezegd, een man met een grote toekomst.'

'En ze trouwden...'

De predikant knikte enkel. 'Lotte, ik wil absoluut niet roddelen over je familie, maar wat ik je vertel is gewoon de waarheid.'

Natuurlijk is het de waarheid, dacht Lotte. De dominee had het heel feitelijk en beknopt gehouden.

'Die jongeman, die eerst met haar verloofd was, liet haar ook meteen vallen? Dan zat er niet veel liefde van zijn kant bij,' merkte ze op.

De dominee zweeg. Hij had de jongeman nooit gekend. Maar hij kende de rijke Haagse families en hun gevoel voor status. Geen enkele zichzelf respecterende familie zou een verloving van hun zoon dulden met de dochter van een moeder, die het onderwerp van geroddel was en zich niet stoorde aan de regels en normen van haar stand. Men kon nog over een gedwongen huwelijk heen stappen, maar daar hield het op.

Die zoon zou worden bewerkt tot hij murw was of hij was gewoon naar het buitenland gezonden met een vage en vooral prettige opdracht.

Hij stond op. Hij moest verder, de plicht riep. Hij was hier al te lang geweest.

'Dominee, nog een vraag: zegt de naam de Beauhertain u iets?'

Hij keek vriendelijk op haar neer. 'Jazeker,' zei hij toen. 'Een niet onbekende Haagse familie, eveneens van Franse afkomst. Geen familie met een lange traditie in de Nederlanden. Ze kwam hier in het kielzog van de eerste koning, de broer van Napoleon. Niet zo rijk en hooggeboren als uw familie lang geleden was, maar wel redelijk welgesteld. De 'Rode Baron', zo luidde de bijnaam van Victor de Beauhertain in vroeger dagen, hij was de derde generatie in Nederland. Ik heb hem nog gekend. Hij was niet van adellijke afkomst. Zijn vader werd ooit een adellijke titel aangeboden, maar die heeft hij geweigerd. Victor was een excentrieke, maar een bijzonder sympathieke man. Hij was getrouwd en had twee dochters. Een is getrouwd, een is ongehuwd gebleven. Zij wonen hier in Den Haag.'

'Mag ik vragen wat het adres van de ongehuwde mevrouw de Beauhertain is?'

'Je kent haar persoonlijk?'

'Mijn moeder kende haar goed...'

Lotte zag hoe de predikant de wenkbrauwen optrok. Vreemd, zag je hem denken. Dit klopt niet, die hooghartige dame en mevrouw de Beauhertain, dochter van een rooie baron. Dat rooie zou beslist betekenen dat de man socialistische trekjes had.

Hij vroeg niet verder.

Hij gaf bereidwillig het adres, ergens aan een van de deftige lanen van Den Haag. 'Als ze niet thuis is, kun je haar vinden bij haar zuster, die woont daar vlak in de buurt. Zij is getrouwd met een advocaat, met ene Bernards...' Hij schoot ineens in de lach. 'Merkwaardig, het valt me nu pas op, wat toevallig. Dezelfde naam die jij hebt Lotte. Het is toch geen familie van je vaderskant?'

12

Veel later zat Lotte op haar hotelkamer. Na haar afscheid van de dominee en het vertrek uit het restaurant, vond ze Annie, die op haar wachtte op het trottoir voor het restaurant.

Nee, ze had niet naar binnen willen komen, zei de vrouw haastig. Ze voelde zich daar niet op haar gemak. Al die mensen die daar zaten waren niet haar slag mensen. Zij was niet gewend om zomaar ergens te gaan zitten en koffie te drinken. Dat kende ze niet van huis uit. Ze bleef liever buiten wachten. De juffrouw kwam er zo aan.

Lotte was zwijgzaam en daarom was Annie dat ook. Ze liepen naast elkaar voort zonder iets te zeggen. Annie klemde haar tasje tegen zich aan en keek een beetje schichtig naar alle kanten. Het was een grote stad en je hoorde gekke dingen tegenwoordig. Het was allemaal erg spannend, maar ze liep toch liever in Almelo op straat dan hier.

Lotte merkte het niet. Ze begreep niets meer van de gebeurtenissen van de laatste dagen. Alle gebeurtenissen waren even vreemd en ondoorzichtig. Niet alleen de plotselinge en onbegrijpelijke dood van moeder, de begrafenis ver van huis, de informatie die ineens over haar werd uitgestort door een onbekende dominee, maar vooral het gedrag van haar vader.

Had de man nou geen enkel fatsoen? Hij toonde wel erg duidelijk dat het overlijden van zijn vrouw hem weinig of niets deed. Had hij de oude dominee herkend als degene die zijn huwelijk had ingezegend en wilde hij hem niet kennen? Schaamde hij zich of wilde hij op zijn bruuske manier laten zien hoe ver hij het had geschopt op de maatschappelijke ladder? Dan deed hij het wel op de foute manier, piekerde Lotte.

Hij nam niet eens afscheid op een nette manier. Hij liet de dominee gewoon staan en verdween. Waar was hij naar toe? Ze had na aankomst in het hotel meteen geïnformeerd bij de receptie. Nee, de heer Bernards had geen kamer besproken in het hotel, werd haar meegedeeld.

Een beetje nijdig was ze naar haar kamer gelopen. Het was zeker niet deftig genoeg, dacht ze schamper. Maar waar zat hij dan wel? Toen ze die avond zwijgend op een oncomfortabele stoel aan een wankel bureautje op haar hotelkamer zat, keek ze om zich heen naar de kale muren met een derderangs schilderijtje en het onvriendelijke lichtje van een schemerlamp. Het was geen exclusief hotel waar ze verbleef. Het was meer een pension.

Annie had haar eigen kamer gekregen, dat vonden ze allebei beter. Er diende enige afstand te blijven tussen hen.

Annie zat heel wat meer tevreden op haar kamer. Ze voelde zich rijk. Wat een weelde, alles werd je gebracht, ze hoefde niets te doen dan alleen maar toe te tasten. Ze vroeg zich niet af wat het allemaal moest kosten. Meer dan het loon dat ze in een maand verdiende, schatte ze.

De juffrouw zou het betalen, had ze gezegd. Annie had dat geld eenvoudig niet. Ze gaf het loon af aan haar vader, die had het niet te breed na zijn ontslag uit de fabriek. Hij was te oud om nog weer een baan als wever te vinden, en het pensioentje dat hij elke week mocht ophalen was bij lange na niet voldoende voor de gewone uitgaven.

Dit was weinig minder dan een echte vakantie, dacht Annie, al was de reden verdrietig. Nou, verdrietig. Als ze eerlijk moest zijn, viel dat nog wel mee. Ze had nog geen moment van aangeslagenheid gezien bij de rechter, en de juffrouw was stil, maar echt gebroken van verdriet was ze niet.

Annie zou misschien nooit meer in een hotel terechtkomen. Ze moest er toch maar zo veel mogelijk van genieten.

Lottes gedachten duikelden door haar hoofd. Deze hele vreemde dag stond in haar geest gebeiteld. Ze zou hem nooit helemaal vergeten. De lange reis en de kale begrafenis zonder bezoekers bijna. Het verdwijnen van haar vader die haar simpelweg liet staan en met een norse opmerking vertrok. Maar vooral de woorden van de onbekende dominee uit Den Haag. Het dreunde allemaal door haar hersenen.

De Beauhertain, een vriendin van moeder? Of was zij toevallig in die trein aanwezig? Nee, dan was dat bekend geweest. Dan had men haar niet als medereizigster aangemerkt. De twee vrouwen waren samen op weg naar het kuuroord. Wat was het voor iemand, die mevrouw de Beauhertain?

De zuster van die vrouw was getrouwd met een advocaat Bernards, was zij familie van die dokter? Nee, moeder zou dat geweten hebben. Ze had die jongeman diep beledigd toen ze zo ziek was. Ach nee, dat kon geen familie zijn. Er waren zo veel families Bernards en in een grote stad als Den Haag kon er meer dan een advocaat zijn die Bernards heette.

Het was een raar toeval, maar onmogelijk was het niet.

Wist die onbekende vrouw de Beauhertain misschien nog meer dan de dominee had verteld?

Was het verstandig om die mevrouw op te zoeken of kon Lotte beter gewoon morgenvroeg de trein nemen naar Almelo?

Wanneer kwam ze weer in Den Haag? Voorlopig zeker niet nu haar vader zo veel narigheid had veroorzaakt. Ze moest er rekening mee houden dat het financieel ook allemaal moeilijker werd.

En toch, ze dacht aan die vrouw. Ze staarde naar het kaartje met het adres dat voor haar op het bureau lag.

Zou ze haar willen ontvangen of werd de deur gewoon dichtgesmeten?

Ga maar naar huis meid, dat is verstandiger. Je hebt de laatste tijd genoeg gezien van het optreden van mensen en hun gedrag.

Lotte zuchtte. Ze wist het niet meer.

De volgende morgen nam ze een kort besluit. Ze ging naar het opgegeven adres. Ze had nu de mogelijkheid om die onbekende dame te ontmoeten. Mocht de vrouw haar niet willen ontvangen, dan had Lotte in ieder geval een poging gedaan om met haar in contact te komen.

Het vertrek werd een paar uur uitgesteld en Annie mocht rustig de stad in gaan of naar Scheveningen, naar De Pier, merkte Lotte op. Het weer was weliswaar niet al te prettig, maar Annie had de zee nog nooit gezien, en ook bij somber weer was de zee indrukwekkend.

Annie schrok terug. Helemaal alleen naar de zee? Met de tram? Nou, ze bleef liever wat in de buurt van het hotel. Ze had eerlijk gezegd de laatste dagen al genoeg avontuur meegemaakt.

Lotte liet het maar zo.

Ze nam de tram naar het opgegeven adres en stapte uit aan het begin van de laan. Langzaam liep ze langs de deftige woningen in de omgeving van het paleis van de koningin. De rooie baron, dacht ze ironisch, hij was blijkbaar een echte socialist, maar hij woont wel in een van de betere buurten van Den Haag. Tja, zo waren er zo veel. Hoe noemden ze dat, links kletsen en rechts de zakken vullen.

Ze aarzelde nog een moment toen ze voor het huis stond. Ze haalde diep adem, het hek binnengaan of doorlopen. Toen opende ze het toegangshek.

Traag liep ze naar de stoep en klom de trap op naar de deur. Ze trok aan de bel en wachtte af, terwijl ze merkte dat haar benen lichtelijk trilden.

Het duurde even voor er geopend werd. Lotte wilde al voor een tweede keer aan de bel trekken. Een jonge vrouw stond in de opening. 'Ja?' vroeg ze terwijl haar ogen over de onbekende vrouw op de stoep gleden.

'Ik zoek mevrouw de Beauhertain,' zei Lotte.

'Mijn moeder of mijn tante?' vroeg ze zakelijk.

Ze wist het even niet, toen zei ze snel: 'Ik denk, uw tante.'

'Kom binnen,' noodde de jonge vrouw kort. 'Wie kan ik zeggen dat er is?'

'Juffrouw Bernards.'

De wenkbrauwen werden hoog opgetrokken. 'Bernards?' vroeg ze bijna vrolijk. 'Dan bent u aan het goede adres. Hier woont de familie Bernards, dat wil zeggen, mijn ouders en min of meer ook mijn tante...'

Lotte knikte. Ze begon, ondanks haar aversie, de jonge vrouw aardig te vinden. Geen kapsones, niet uit de hoogte, gewoon een onbezorgde jonge meid die vlot van de tongriem gesneden was.

Ineens werden de ogen van de ander toegeknepen. 'U komt toch niet uit Almelo?' hoorde ze onverwacht vragen.

Lotte knikte. 'Ja, daar kom ik wel vandaan.'

'Juist, nou wordt mij iets duidelijk. Ik zal mijn tante halen. Ze is hier sinds enige dagen te logeren.'

Lotte knikte alsof ze het begreep, maar ze begreep er niets van. Men kende haar blijkbaar?

Ze stapte over de drempel en stond in een smalle hoge gang, met aan weerszijden deuren die naar diverse kamers gingen.

De jonge vrouw was door een van die deuren verdwenen.

Het duurde dit keer niet lang. De deur werd weer geopend en de jonge vrouw kwam teruglopen. 'Mijn tante wil u graag ontmoeten,' zei ze eenvoudig.

Lotte liep achter haar aan en betrad de kamer. Dat viel niet eens tegen, dacht ze. De kamer was niet heel groot; er stond een gemakkelijke stoel bij een open haard. Een kast, een piano, een tafeltje en wat stoelen. Voor de ramen hingen zware fluwelen overgordijnen.

Het was er uitgesproken donker, zelfs zo donker dat Lotte in eerste instantie de vrouw niet zag die in een stoel naast het met zware gordijnen bedekte raam zat.

'Kom binnen, Lotte, kom binnen en wees welkom. Ik denk dat ik jou beter ken dan jij mij,' hoorde ze ineens een zachte stem.

'Zal ik even voor koffie zorgen?' vroeg de jonge vrouw.

'Graag, Femmy,' zei de onbekende vrouw bij het raam.

Lotte bleef staan toen Femmy weg was gelopen. Langzaam werd het gordijn wat aan de kant geschoven en een straaltje licht viel naar binnen. Nu zag Lotte de vrouw beter, die wat aarzelend en langzaam opstond van haar stoel.

Een aardige grijsharige vrouw, ouder dan haar moeder, schatte ze. Zeker tien jaar en uitgesproken eenvoudig in de kleding. Geen vrouw zoals verwacht mocht worden van iemand die bekend stond als een welgestelde vrouw uit Den Haag. 'Kom eens hier, meisje,' werd er gevraagd. Aarzelend werd een hand uitgestoken. Pas toen zag Lotte het: de vrouw was blind.

Lotte strekte onzeker haar hand uit en omvatte die van de zittende vrouw. 'Je hebt het al geraden,' zei de vrouw glimlachend. 'Ja, ik ben al jaren blind. Een ziekte uit mijn jonge jaren. Laat ik me voorstellen, mijn naam is Charlotte.' Ze zweeg een paar tellen, toen zei ze: 'Ik zie als het ware je verbazing.'
Lotte ontkende het niet. Een vriendin van moeder die blind was? Ze was uit het veld geslagen. Dit paste niet bij haar moeder. Dit moest een groot misverstand zijn. Ze werd voor iemand anders aangezien. 'Ga zitten. Ach, meisje, het is momenteel niet gemakkelijk voor je. Voor niemand, ook niet voor je vader, denk ik. Hoe kom je zo onverwacht in Den Haag?'
'Moeder is gisteren begraven,' hakkelde ze. 'Op de begraafplaats Oud Eik en Duinen, dat wilde ze zo.'
'Ja natuurlijk, in het familiegraf. Het spijt me dat ik er niet was. Ik wist niet wat je vader zou besluiten. Ik ben blij dat hij de laatste wens van je moeder opvolgde.'
Lotte knikte in zichzelf. Nee, dat kon deze vrouw ook niet vermoeden. Het mocht een wonder zijn dat hij had toegestaan dat zijn vrouw in het familiegraf werd bijgezet. Waarom had hij het eigenlijk gedaan? Misschien wel om van het gezeur en de verwijten af te zijn.
Het gerinkel van kopjes op een dienblad kondigde de terugkomst van Femmy aan. Lotte opende in een reflex snel de deur zodat Femmy zonder moeite naar binnen kon lopen.
Lotte zag niet de glimlach op het gezicht van de oudere vrouw toen ze de deur achter Femmy sloot.

De koffie werd vlot rondgedeeld. Daarna wipte Femmy weer weg onder de woorden: 'jullie hebben genoeg te bepraten, lijkt me.'

Hebben ze geen dienstmeisjes in dit grote huis, vroeg Lotte zich af. Merkwaardig.

Charlotte was heel handig ondanks haar blindheid, zag ze. Er werd geen druppel koffie gemorst. Er was geen aarzeling bij het pakken van de mok, het ging allemaal even vlot als bij iemand die goed kon zien. Ach, ze kende het hele ritueel waarschijnlijk van haver tot gort. 'Ik heb al dagen gehoopt en ergens ook verwacht dat je op de stoep zou staan. Ik dacht: het kan niet anders, Eloises dochter moet vragen hebben, misschien wel heel veel vragen.'

Eloise. Ze had moeders naam niet vaak horen uitspreken. Vader noemde haar nooit bij naam.

Ze knikte onwillekeurig. Langzaam nam ze haar kopje van de kleine tafel. 'Wat is er precies gebeurd in de trein naar Baden Baden?' vroeg ze toen.

Het bleef een ogenblik stil, toen kwam het rustig: 'Je moeder had nooit mogen afreizen, Lotte. Ik heb het haar afgeraden, maar ze luisterde niet. Ze kreeg een fatale hartaanval. Het was in enkele minuten gebeurd. Niemand kon er iets aan doen, zelfs de Duitse arts niet die tegenover ons zat in de coupé. Wist je trouwens dat je moeder al langer last had van haar hart?'

Nee, dacht ze, dat wist ik helemaal niet.

Ze zei het hardop.

'Je moeder was al jaren ziek. Het is niet de vraag óf ze die fatale aanval zou krijgen, maar wannéér... En verwijt jezelf niets. Ze wist dat het gebeuren zou. Ze heeft zich meer dan eens goed laten onderzoeken en al diverse keren de boodschap meegekregen om beter voor zichzelf te zorgen. Maar dat was tegen dovemansoren gezegd.'

'Daar heeft ze nooit iets van gezegd.' Nee, dacht Lotte dat is niet waar, ze klaagde altijd en niemand nam haar serieus. Ze zeurde over pijntjes en verzweeg dat ze ernstig ziek was, zo mag je het wel stellen.

'Ik weet het. Maak je geen verwijten. Je moeder stierf liever in de trein onderweg naar Baden Baden dan thuis in haar eigen bed in Almelo. Ze wilde daar onder de gegeven omstandigheden voor geen goud langer blijven, ook al liet ze jou in eerste instantie achter.'

Lotte keek even op naar de vrouw in de grote fauteuil. Haar gezicht was rustig en zonder uitdrukking.

Merkwaardige woorden: 'ook al liet ze jou achter.' Dat deed ze toch altijd? Dat was niets nieuws.

Lotte zette het kopje ineens met een onbeheerste beweging op het dienblad. 'Ik begrijp het niet,' zei ze heftig. 'Ik weet hoe dat huwelijk was. Het was gebaseerd op leugens en afkeer van elkaar. Mijn vader deed zich voor als lid van een rijk geslacht. Hoe durfde hij? Mijn moeder gedroeg zich in Almelo alsof ze de koningin in eigen persoon was. Ze werd achter haar rug uitgelachen.'

De vrouw knikte. 'Ja kind, en dat wist ze heel goed. Almelo is geen Den Haag. Die trotse houding wordt hier misschien geaccepteerd, maar niet in het oosten van het land. Het was haar manier om overeind te blijven in een vijandige omgeving.'

'Waarom stopte ze niet met dat huwelijk? Ze gaven helemaal niets om elkaar. Dat is mij al jaren duidelijk.'

De vrouw zweeg en leunde iets voorover. Er lag een trieste glimlach om haar mond. 'Lotte, dat zijn exact de woorden, die ik al honderd keer heb gezegd tegen je moeder: 'waarom stop je er niet mee?''

Ze hoorde het amper. 'Mijn vader is waarschijnlijk van heel gewone afkomst...'

'Vind je dat een bezwaar?' viel de vrouw haar in de rede. 'Mijn vader behoorde tot een gerenommeerde familie. Mijn moeder was een gewoon dienstmeisje, haar familie bestond uit dagloners. Ik denk nog alle dagen met pijn en heimwee aan haar. Mijn vader was gebroken toen ze overleed. Hij is haar binnen het jaar in de dood gevolgd. Mijn moeder was een dame tot in de punten van haar vingernagels, ook al hadden die rouwranden. Beschaving heeft namelijk niets te maken met rijkdom en adel.' Het klonk verwijtend.

Lotte keek verwilderd om zich heen. 'Nee, ik vind het geen bezwaar als mijn grootouders van vaders kant los arbeiders zouden zijn geweest. Ik zou er zelfs trots op zijn als zij ervoor krom zijn gaan liggen om hun zoon te laten studeren. Je mag toch trots zijn op zulke grootouders?'

'Zeker,' knikte Charlotte.

'Maar mijn vader liegt over zijn familie, hij beweert dat hij een zoon is van ene Bernards, een deftig geslacht uit Aerdenhout. Is dat niet diezelfde familie als die van uw zuster, die getrouwd is met een Bernards?'

'Heeft Asse dat niet voor zich kunnen houden?'

'Asse?' vroeg ze verbaasd.

'Die onbezonnen jonge dokter uit Almelo, dat is mijn neef,' grinnikte Charlotte. 'Hij vertelde dat hij met jou gesproken had over zijn familie. Hij heeft een hele studie aan de Bernardsfamilie gewijd, trouwens ook aan die van mij, de Beauhertains. Hij was altijd al gek van geschiedenis. Waarom hij ooit medicijnen is gaan studeren is nog steeds een raadsel. Ja, een aardige speling van het lot, nietwaar? Hij komt uitgerekend in Almelo terecht.' Ze lachte hardop. 'Je vader zal het niet leuk gevonden hebben toen hij tot de ontdekking kwam dat er uitgerekend een lid van dat geslacht Bernards in Almelo rondliep. Hij heeft waarschijnlijk gedacht dat het uitgestorven was... Trouwens, je moeder was er ook niet blij mee.' De vrouw zweeg met een glimlach.

'Ach, deftige families, wat heb je er aan en wat schiet je er mee op? 'Iedere slaaf heeft koningen in zijn voorgeslacht en iedere koning slaven'. Het zijn woorden van een oosterse filosoof van lang geleden.' Ze zette het koffiekopje op de tafel en leunde in haar stoel. 'Mijn voorouders kwamen hier met de Fransen. Mijn voorvader zag kansen als koopman in de Nederlanden en die heeft hij ook gekregen. Het was geen adel, ook al werd mijn vader de 'Rode Baron' genoemd. De familie ging het de eerste jaren uitstekend, maar daarna kreeg ze klappen en ze heeft zich daarvan nooit helemaal kunnen herstellen. De negentiende eeuw was slecht, al heette het 'de eeuw van vooruitgang'. We kenden in deze eeuw ook alle narig-heid die de gewone man trof. Voor de armelui was het een rampzalige eeuw: van werkloze dagloner tot loonslaaf in een fabriek. Met een loon dat te veel was om dood te gaan en te weinig om van te leven.'

Charlotte schudde het hoofd. 'Nee, het redelijke kapitaal uit die eerste jaren verdween goeddeels. Het enige wat ze overhield was de deftige Frans-aandoende naam 'De Beauhertain', net genoeg geld om fatsoenlijk te kunnen leven.'

Zou moeder dat allemaal niet geweten hebben? Natuurlijk wel. Waarom was ze dan zo onbeschoft tegen die dokter? Charlotte zou het niet prettig hebben gevonden dat haar neef zo werd behandeld door een vriendin. Of zou die dokter dat nooit verteld hebben? Die kwam wel vaker onbeschoft volk tegen...

'Uw familie is een oud en welgesteld geslacht...' begon Lotte een beetje haperend, maar de ander viel haar in de rede: 'Oude geslachten kunnen verarmen en hun aanzien verliezen, dat is ook gebeurd bij veel van die oude geslachten. Of ze sterven simpelweg uit. Er komen nieuwe weer naar voren. Kijk maar naar al die textielfamilies in Twente, die de laatste honderd jaar zijn opgekomen.'

'Interesseert het u niet dat u van zo'n oude familie stamt?' vroeg ze toen een beetje op haar teentjes getrapt.

De vrouw wendde het gezicht naar het meisje. 'Nee,' zei ze kortweg. 'Wat kan mij dat schelen? Ik leef nu. Als ik me moet laten voorstaan op mijn voorouders, heb ik er zelf weinig van terecht gebracht, nietwaar? Om het met de woorden van mijn zwager te zeggen. 'Het voorgeslacht moet maar voor zichzelf zorgen, ik heb genoeg zorgen om mijn nageslacht'.'

'Zo denken mijn ouders niet,' mompelde ze.

De vrouw boog zich voorover. 'Nee, dat is bekend. Dat heeft je moeder me ook wel eens verteld. Die begreep mijn gedachtegang ook niet.'

Het bleef een tijdlang stil, toen vroeg Lotte: 'Hoe kende u mijn moeder?'

Charlotte glimlachte. 'Ik ken haar al een leven lang. Ik ben een stuk ouder, maar toch... Mijn vader, Victor de Beauhertain, werd lang geleden uitgenodigd om aan het hof te komen werken. Hij is daar na enkele jaren weer vertrokken. Het verdiende niet zo best. Hij kon zich die erebaan financieel niet permitteren.'

'U hebt mijn grootmoeder, de hofdame, gekend?'

De blinde vrouw lachte hardop. 'Wie kende haar niet? Ze was te modern in haar opvattingen. Te ronduit en net niet hooggeboren en rijk genoeg, om zich die houding te kunnen veroorloven. De koningin kon in die dagen niet anders dan haar ontslaan, maar ze heeft het met spijt in haar hart gedaan. Je grootmoeder was een heerlijk mens, tot aan haar onbezonnen en vooral onbegrijpelijke huwelijk. Daarna werd ze heel anders, bitter en terneergeslagen. Daar hoeven we niet omheen te draaien.'

Lotte zweeg. Dat was misschien wel hetzelfde, maar het klonk anders dan de dominee vertelde. Ze lapte alles aan haar laars, was zwanger en ging een liefdeloos huwelijk aan, ze kreeg een zee van geroddel over zich heen...

'Je bent stil,' zei Charlotte langzaam. 'Je hebt andere verhalen gehoord, neem ik aan. Maria was geen jong onervaren meisje toen ze ontdekte dat ze zwanger was. Er werd voor haar een huwelijk gearrangeerd met een hoge kolonel uit het leger, maar Maria weigerde. Dat heeft niemand van ons ooit begrepen. Het was een weduwnaar, inderdaad een aantal jaren ouder, maar een goede vent voor haar en hij zou heel goed voor het kind hebben gezorgd. Ze trouwde volstrekt onverwacht met een andere man, een jonker De l'Eau tot Lichtenstein. Een man die uit een steenrijke familie stamde, maar die het gepresteerd had het familiekapitaal er zo goed als doorheen te jagen. Niemand begreep waarom ze die man verkoos boven de kolonel. Ze heeft het waarschijnlijk zelf ook niet begrepen. Toen ze in de gaten kreeg aan wie ze de voorkeur had gegeven, was het te laat.

Ze had geen prettig leven bij de jonkheer. Eloise ook niet, al was ze zijn enige dochter, en dat kwam omdat je grootvader een eersteklas zuiplap was, al mag ik dat niet hardop zeggen. Arbeiders zijn zuiplappen, hooggeboren heren zijn kenners van het gedestilleerd, het komt op hetzelfde neer. Hij was ook een man met losse handjes.' Het bleef even stil. Toen hief Charlotte het hoofd op. 'Je grootvader stierf 'plotseling', dat is de algemene opinie. Het was niet plotseling. Hij was al jaren bezig zichzelf het graf in te drinken.

Het geroddel ontstond omdat Maria een grote fout maakte: ze hield haar huwelijksproblemen niet binnen de deur. Zij en de jonkheer woonden al een aantal jaren niet meer onder hetzelfde dak. Daar had ze het bij moeten laten, maar ze wilde ook van het trouwboekje af. Officieel scheiden doet men niet in deze kringen. Toen hij stierf was er nog net geen echtscheiding uitgesproken. De vroegere hofdame werd alsnog een rijke, nog jonge weduwe, dacht heel Den Haag, en dat gunde men haar eigenlijk niet. De geruchten stierven even snel weg als ze gekomen waren: er bleek namelijk geen rooie cent meer te zijn toen het testament werd geopend. Maria stond op straat zonder middelen van bestaan, samen met je moeder die uitzicht had op een goed huwelijk volgens haar stand.

Er is zelfs nooit een officieel onderzoek geweest naar de dood van de jonkheer. Het rapport van de artsen sprak een duidelijke taal.'

'De verloving van mijn moeder werd verbroken toen die geruchten rondgingen, is mij verteld.'

Charlotte knikte ineens ernstig. 'Inderdaad en daar had je moeder niet rouwig om hoeven te zijn. Het was een vent van niks. Een opgeblazen student uit Wassenaar. Helaas, je moeder had nog weinig levenservaring. Ze hield werkelijk van hem en vooral, hij paste perfect in haar gedachtewereldje van status en aanzien. Een jonge vrouw kan daar heel gevoelig voor zijn. Toen hij haar liet vallen als een baksteen was ze gebroken. Ze had al eerder een flinke tik op haar ego opgelopen. Ze werd niet voorgesteld aan het hof, zoals ze zelf gedacht en gehoopt had. Alle jongedames van rijke en gegoede huize mogen namelijk een bezoek brengen aan het paleis: kopje thee, taartje erbij, je kent dat wel. De koningin komt er even bijzitten. Dat is een bijzondere eer voor de hoge kringen.'

Charlotte zweeg een ogenblik.

'Bent u ook voorgesteld aan het hof?' vroeg Lotte ineens scherp.

'Nee, lieve kind. Daar was ik niet hoog en rijk genoeg voor. Mijn vader werkte als lakei en was bovendien vertrokken. Dat vergeten ze niet hoor.'

Lotte knikte langzaam. Dus moeder was niet de dame van stand die ze altijd voorgaf te zijn. Verlopen adel was een betere benaming. Waarom dan toch zo'n air over zich? Of was het zelfbescherming?

'Hij moet niet naar Den Haag gaan, dat is niet goed'... Was ze bang door de mand te vallen?

Charlotte wendde haar hoofd naar de kant van de jonge vrouw. 'Je moeder had het voor haar doen moeilijk in die tijd. Misschien kwam het daardoor dat ze binnen de kortste keren je vader aan de hand had.'

'Een briljante rechtenstudent...' mompelde Lotte voor zich heen.

'Zeker, een man met een grote toekomst voor zich en ambitieus tot over de rand van het betamelijke heen,' zei de vrouw rustig. 'Je moeder werd ervoor gewaarschuwd. Maar helaas, ze luisterde niet.'

Lotte knikte langzaam. 'Dus trouwde ze met mijn vader.'

'Ja.'

'Maar ze hield niet van hem. Hij waarschijnlijk ook niet van haar.'

'Nee, ik zei al: eerzuchtig en een echte streber. Dat komt vaker voor bij jongelui die zich voor hun afkomst menen te moeten schamen. Hij heeft veel bereikt, dat dient te worden gezegd.'

Het is hoe je het bekijkt, dacht Lotte. Hij boezemt angst in, maar niemand respecteert hem. 'Maar het had toch wel goed kunnen komen als ze hun best ervoor hadden gedaan?' probeerde ze nog.

Charlotte schudde het hoofd. 'Het ging niet goed, daarvoor verschilden ze te veel van elkaar: het karakter, de achtergrond. Ze waren geen van beiden bereid water bij de wijn te doen. En dan werkt een huwelijk niet. Het oude cliché: geven en nemen is helaas maar al te waar. Dat kun je alleen maar opbrengen als je werkelijk om elkaar geeft. Beiden namen alleen maar en deden geen moeite nader tot elkaar te komen.'

'En toch bent u haar vriendin...'

Charlotte lachte zachtjes en boog voorover. 'Jouw moeder was geen slechte vrouw, meisje. Ze was diep ongelukkig en durfde de stap niet aan om een nieuwe start te maken, toen ze in de gaten kreeg dat ze in een aloude val was getrapt: die van een vlucht in een huwelijk. Die kans om eruit te stappen heeft ze meer dan eens gehad en voorbij laten gaan. Ik moet ook toegeven dat zij bij jouw vader te zeer onder de plak zat om simpelweg op te kunnen stappen. Hij vernederde en beledigde haar, waarschijnlijk omdat hij zich ook geen raad wist met de situatie, van twee volstrekt vreemden onder hetzelfde dak.

Hij is uiteindelijk altijd gebleven wie hij was: een onbeholpen boerenzoon uit de omgeving van Utrecht, die nooit de bekakte manieren van de Haagse elite meester is geworden. Je moeder trok hoge muren op en viel terug in een houding van: 'weet je wel wie ik ben?' Het was haar manier om overeind te blijven. Ik zeg niet dat het goed is, zeker niet naar jou toe, maar het is wel te begrijpen.'

'Waarom ging ze niet weg?'

'Waar kon ze naar toe? Ze was nooit zelfstandig geworden en kon amper voor zichzelf zorgen. Dat werd de jongedames van goede huize niet bijgebracht. Die werden anders opgevoed dan wij, het gewone volk. Ouders en kinderen stonden ver van elkaar af, de kinderen werden opgevoed door kindermeisjes en ander personeel. Dat was bij Eloise en je grootmoeder niet anders.'

Net als ik, dacht Lotte.

'Je moeder was de laatste van haar geslacht; er was geen verdere familie. Ik heb haar meer dan eens aangeboden met jou bij mij te komen wonen in Den Haag. Ik heb ruimte genoeg in mijn eigen woning. Ze weigerde. Ze kon het spookbeeld van een leven zonder geld en status niet aan, en zeker niet in Den Haag, waar ze zelf vandaan kwam. Ze kende maar één soort leven: dat van echtgenote van een aanzienlijk man. Verwijt het haar niet Lotte, ze was een kind uit een ander leven.'

13

LATER DIE DAG VERTROK LOTTE NAAR ALMELO. ZE WAS NOG LANG BIJ
Charlotte gebleven en had duizenden vragen.

Hoe kon een zo aardige vrouw vriendin zijn met haar moeder?
Lotte had iemand met de kapsones van moeder allang de rug toe-
gekeerd.

Charlotte zou anders reageren op die nukken, dacht ze. Die zou ze
bedaard rechtzetten met opmerkingen die leken op die van een
moeder tegen een dwars kind. Lottes moeder had dat op de een of
andere manier geaccepteerd.

Toen ze eindelijk vertrok besefte Lotte dat ze er een oudere vriendin bij had gekregen, en daar was ze blij om. Zo uitgebreid was haar
vriendenkring niet.

Femmy, de jonge vrouw en zuster van de dokter in Almelo, was hartelijk en vrolijk toen ze haar uitliet. 'Tot ziens', riep ze nog.

Die eenvoudige hartelijkheid deed Lotte goed. In Almelo was ze de
dochter van de gevreesde en nu in ongenade gevallen rechter. De
meeste klasgenoten van vroeger zouden een beetje leedvermaak
hebben. Vriendinnen had ze niet in Almelo. Ze moest het hebben
van Annie, de huishoudster, en die kende heel goed haar plaats: die
van lid van het personeel.

Annie had gewacht bij het hotel en was blij dat ze Lotte zag komen.
Ze had zich een beetje verveeld en wilde graag richting de trein.
Nee, Annie ging niet op avontuur in Den Haag. Ze voelde zich niet
op haar gemak in haar eentje. Ze kwam uiteindelijk maar uit
Almelo en Den Haag was een grote stad. Ze had een beetje ongeduldig op een bankje gewacht tot ze de jonge vrouw terug zag
komen.

Nu Lotte eenmaal terug was, was Annie haar ongedurigheid meteen
vergeten. Ze hadden weinig haast, de trein ging pas na de middag.
In een rustig tempo liepen ze naar het station. Er was genoeg te zien
onderweg. Annie zweeg, want Lotte zei ook geen woord.

Annie zou blij zijn als ze weer gewoon in Almelo was. Morgenavond ging ze opnieuw praten bij de directeur van de zuivelfabriek en ze zou hem vertellen dat ze de baan aannam. Het speet haar voor Lotte, maar ze bleef niet bij de rechter en zijn dochter, dat was een ongewisse toekomst geworden. Ze was vijftien jaar in dienst geweest en vijftien jaar lang had ze de tanden op elkaar gezet en gedacht: ik heb nog goed werk. Er zijn zo veel vrouwen van mijn leeftijd die alleen maar terecht kunnen in de fabriek aan de machines.

Maar het werk werd met de jaren zwaarder. Ze wist dat er veel van die hooghartige vrouwen waren die zich als hoger en deftiger beschouwden dan andere vrouwen; ze had vaak gehoord hoe ze hun personeel behandelden. Ze had altijd gedacht: of ik nou door de hond of de kat gebeten word, als mijn loon maar betaald wordt. Uiteindelijk zijn die lui niet anders dan ik: ze moeten ook naar de wc en ze moeten ook eten.

Toen Lotte op dat internaat in België zat, had Annie serieus overwogen om te vertrekken. Maar toen waren de rechter en zijn vrouw zo vaak weg dat het uit te houden was. Bovendien lagen de banen niet voor het opscheppen.

Nu was alles anders geworden. Mevrouw was overleden en de rechter was in opspraak geraakt. Wedden dat hij weldra uit Almelo vertrok? Lotte zou natuurlijk meegaan. Wat moest dat meisje anders? Een baantje gaan zoeken, kom nou. Dat deed dat soort meisjes niet, die hadden een rijke vent nodig.

Als de rechter vertrok, was haar baan er niet meer. Als ze wachtte tot ze op straat zou komen te staan, was er hoogstwaarschijnlijk geen werk te vinden. Ze had nu de kans om weer in eenzelfde soort baan terecht te komen. Uiteindelijk was ze geen jonge vrouw meer die haar hoop had gevestigd op een man en een gezin. Annie had de kansen op een huwelijk opgegeven. Ze was tenslotte over de dertig. Lotte keek opzij en zag de frons op het voorhoofd van de huishoudster.

Ze keek snel voor zich. Een beste vrouw, die Annie. Daar hadden haar ouders geluk mee gehad, al zouden ze dat nooit toegeven. Anderen hadden allang de pijp aan Maarten gegeven. Moeder was soms een serpent geweest en vader was onmogelijk in zijn onredelijke buien.

Wat had die twee mensen samengebonden? Waarom waren ze ooit getrouwd? Was de vernedering van een verbroken verloving zo erg geweest? Misschien wel in moeders ogen.

Charlotte had erom geglimlacht. 'Je moeder wist weinig van het leven, Maria had haar dochter zo beschermd mogelijk opgevoed. Ze maakte de fout die iedere jonge argeloze vrouw maakt als ze trouwt met de verkeerde man: ze denkt dat zij hem zonder al te veel moeite kan veranderen van een vlerk in een liefdevolle zorgzame man. En weet je: dat lukt niet. Het lukte je moeder ook niet. Toen ze weldra in de gaten kreeg dat je vader in wezen een onbeschofte hufter was en bleef, gaf ze het op om er nog iets van te maken.'

Het huwelijk werd een ramp, begreep Lotte. Het kind dat kwam was niet gewenst. Moeder had het gehaat en zich zo veel mogelijk op afstand gehouden. Dat gebeurde vaker bij deftige families. Al die meisjes op dat internaat hadden dezelfde achtergrond: opgegroeid met gouvernantes en kindermeisjes. Pa en ma kwamen pas in zicht als de kinderen tien jaar en ouder waren.

Dat had Lotte ook gemerkt en ondervonden in al die jaren. Ze werd geduld, moeder was op reis, vader had geen tijd. Er waren ook gouvernantes en kindermeisjes voor de kleuter. Misschien was dat haar geluk geweest. Ze had een goede gouvernante gehad, eentje die oprecht om haar gaf.

Ze had nog steeds contact met haar. Ze moest er even aan denken dat ze haar een briefje stuurde waarin ze het overlijden van moeder aangaf.

Waarom bleef moeder in dat huwelijk zitten, ze had rustig kunnen vertrekken. Goed, ze had geen inkomen gehad, maar was dat onoverkomelijk? Ja, voor haar wel, besefte Lotte. Moeder had altijd geleefd in de heilige veronderstelling dat ze een rijkeluisdochter was. Liever een leven als een hond dan een leven zonder geld.

Het huwelijk had goed kunnen gaan als ze elkaar gerespecteerd hadden, elkaars grenzen hadden geëerbiedigd. Waarom deden ze dat niet? Het waren toch intelligente mensen die begrepen dat je verder kwam met iets toegeven, dan botweg alles voor je op te eisen. Lotte dacht na over Charlottes woorden. Je moeder had ook een andere kant. Ze kon vriendelijk en meelevend zijn. Waarom was ze dat niet voor haar man en haar dochter? Was de bitterheid al zo diep ingesleten geweest?

'We zijn er,' zei de stem naast haar. Annie wees naar het gebouw voor hen. Het station van Den Haag.

Ze hadden nog tijd genoeg voor een kop koffie in het restaurant ernaast.

Annie bekeek de jonge vrouw zwijgend. Die had geen goed nieuws gehoord vanmorgen. Ze was veel te stil. Niet dat ze anders mededeelzaam was, maar nu was ze opvallend stil. Ze had nog geen drie woorden gezegd sinds ze terugkwam van haar onbekende uitstapje. Annie kon er zich niet druk over maken. Ze had genoeg aan zichzelf, dacht ze prozaïsch. En vanavond zat ze gelukkig weer gewoon thuis aan de tafel bij haar vader en haar broer.

Toen ze na een lange treinreis terugkeerden in Almelo, vonden ze het huis leeg. De dienstmeisjes waren al naar huis gegaan. Het was ook al laat in de avond, het liep tegen negen uur. De treinreis duurde lang, vooral door het wachten op de stations waar ze moesten overstappen. Waarom werd er geen poging gedaan al die maatschappijtjes met hun eigen treinlijn onder één maatschappij te brengen, en er een groot op elkaar aangepast landelijk treinnet van te maken? Dat scheelde uren tijd. Dat moest toch mogelijk zijn? In andere landen kon het ook.

Lotte ontsloot de deur en zette de koffer in de gang. Het was donker en koud in huis.

Annie verontschuldigde zich en vertrok weldra naar haar eigen huis waar haar vader en haar broer nieuwsgierig wachtten op haar verhaal. Zij waren nog nooit in Den Haag geweest. Annie kon hen vertellen dat ze het paleis van de koningin had gezien, en de gebouwen van de regering ook. Grote gebouwen en deftige lui en veel auto's. Lotte voelde de kilte door zich heen trekken. De verwarming was uit. Dat betekende dat vader niet thuis geweest was vandaag. Waar was hij vandaag dan alweer heen? Waarom kwam hij niet naar huis? Het was laat, het liep al tegen negen uur. In de hal stond een tweetal koffers en een paar tassen. Ze opende een van de tassen. Er zaten spullen in van haar moeder, zag ze. Waarschijnlijk waren ze in de loop van de dag gebracht met de vrachtboer. Lotte had zich niet eens afgevraagd wat er met moeders spullen was gebeurd, tot Charlotte er over begonnen was.

De Duitse politie had alles meegenomen, zei ze. Dat gebeurde bij een onverwacht overlijden van een buitenlandse in Duitsland. Die lui hadden zich behoorlijk onbeschoft gedragen. Het werd er niet leuker op in Duitsland sinds de nationaalsocialisten een jaar geleden aan de regering waren gekomen, had ze nog gezegd. Zij en moeder hadden al besloten dat het de laatste keer was dat ze naar Baden Baden zouden gaan.

Lotte trok zich terug in de kleine salon. Daar werd het snel enigszins behaaglijk door de open haard die ze had aangemaakt. Het hout lag keurig opgestapeld, proppen papier lagen al klaar in de haard.

Het duurde nog een tijd voor het werkelijk aangenaam werd. Met een brede sjaal om haar schouders die nog wat warmte gaf, zat Lotte met de tassen voor zich bij de haard.

Er zat weinig bijzonders in. Kleding, wat fruit, een portemonnee met geld. Ze telde het geld na. Vreemd, het was een heel bedrag... Wat had moeder ook al weer gezegd. Ze wist niet of ze wel terugkwam. Ze had in ieder geval genoeg geld voor de eerste maanden. Hoe kwam zij daaraan?

Had ze het gewoon van het spaarbankboekje gehaald? Nee, dat kon niet, moeder was niet gemachtigd om geld van de bank te halen. Vader hield de financiën strak in eigen hand. Waar kwam dat geld dan vandaan?

Lotte stond op en liep naar de keuken. Ze kreeg trek in koffie en een boterham. Ze had amper gegeten vandaag.

Voor Annie zou er een bord aardappelen klaarstaan, schoot het door haar heen. Vader Letteboer was een zorgzame man, die zou Annie niet verplichten om nog een maaltijd te bereiden als ze thuiskwam na zo'n reis. Dat deed hij wel voor zijn dochter.

Er lag een briefje op tafel in de keuken. Met hanenpoten stond er dat de dokter aan de deur was geweest. Welke dokter?

Dokter Van het Zand? Nou, die mocht van haar rustig wegblijven. Ze zat echt niet te wachten op die man. Op die jonge vent trouwens ook niet, al had hij een aardige zuster en een lieve tante. Die man wilde ze liever helemaal niet zien. Hij zou haar elke dag herinneren aan deze tijd. Het maakte allemaal veel te onrustig. Bovendien werd ze behoorlijk onzeker van hem. Ze had steeds het gevoel dat hij haar door had, als ze de onrust in haar hart probeerde te verbergen achter een zelfverzekerde houding. Die vent zou lachen als hij wist dat zij geregeld aan hem dacht.

Ze begreep het niet helemaal, had ze tegen Charlotte verteld. Wist de dokter niet hoe de vork in de steel zat? Kende hij de vriendin van zijn tante niet? Was dat niet vreemd?

Nee, had Charlotte gezegd. Mijn leven is niet zijn leven. Ik ken zijn vrienden ook niet, alleen zijn twee beste vrienden. Hij was niet op de hoogte van je moeders bestaan. Dat was alleen mijn zuster en sinds het overlijden van Eloise, je moeder, was Femmy het ook. Bovendien vertelde Asse niet zo veel over zijn wederwaardigheden in Almelo. Over zijn patiënten mocht hij niet eens praten.

Lotte zag dat de kolenboer was geweest om de bestelling op te nemen voor de komende winter. O ja, dat moest ook gebeuren. Hij kwam altijd om deze tijd van het jaar.

'De rechter *is* niet thuisgekomen van Den Haag,' stond er op het briefje. Lotte keek fronsend op. Vader is niet thuisgekomen? Hij was meteen na de begrafenis vertrokken naar de trein, zei hij toen afgemeten en nors, zoals hij kon zijn. Ze had zonder meer aangenomen dat hij terugging naar Almelo.

Hij is niet naar huis gegaan. Wat betekent dat? Heeft hij een ongeluk gekregen, is hij ziek geworden onderweg? Net als moeder?

Ze had ineens geen trek meer in een boterham. De onrust spoelde door haar heen. Ze nam de opgewarmde gloeiend hete koffie mee naar de kleine salon. Wat kon ze doen, piekerde ze. Ze zou niet weten wat ze moest doen. Hij kon overal zijn. Of misschien was hij wel in Almelo maar ergens anders, zoals hij de laatste dagen voor moeders dood ook steeds 'ergens' was geweest.

Ze moest morgen eerst afwachten, dacht ze. Morgen kon er bericht komen, iemand kon bellen of zich melden.

Misschien zat er iets bij de post dat opheldering gaf?

Ze liep naar de gang waar de post op het speciaal daarvoor bestemde tafeltje lag. Het was niet eens veel, zag ze. Een paar kranten, een paar brieven.

Een enkele condoleance. Ze legde ze ongeopend terzijde. Ze bekeek de brieven. Een brief was van de rechtbank, zag ze. Zonder nadenken trok ze enveloppe met een ruk open. Het was een oproep voor haar vader om te verschijnen voor een speciale rechterskamer. Het was al een tweede oproep, zag ze. Hij had de eerste oproep voorbij laten gaan zonder te verschijnen.

De tweede bevatte een duidelijke waarschuwing. Als hij niet verscheen had dat gevolgen. De zitting was morgen, zag ze. Morgen om elf uur.

Lotte slikte. Zou hij dit wel weten?

Natuurlijk wel, er hing te veel van af. Vader was veel te ambitieus om zijn eigen glazen in te gooien door weg te blijven. Hij zou ongetwijfeld zijn verhaal klaar hebben, maar hij zou verschijnen op de zitting.

Een beetje gerustgesteld ging ze terug naar de kleine salon.

De volgende morgen was Lotte amper in de kleine salon en had het ontbijt nog voor zich staan toen Annie kwam melden dat de dokter op de stoep stond.

Lotte fronste haar wenkbrauwen. 'Dokter?'

'Ja, die jonge dokter.'

Nou die maakte zich blijkbaar zorgen, dacht Lotte laconiek. 'Wat wil hij?' vroeg ze koeltjes. 'Er is niemand ziek...' Ze had niet veel zin om hem te ontvangen. Niemand had hem geroepen en ze voelde nu haar hart alweer bonken van onzekerheid.

Annie haalde de schouders op. 'Misschien moeten er nog papieren ingevuld worden?' opperde ze. Bij een begrafenis kwam altijd van alles kijken...

Lotte glimlachte. 'Laat hem maar binnen. Ik ben eigenlijk wel benieuwd.'

Ze wachtte nog even, propte een boterham achter haar kiezen en liep toen naar de grote salon. Daar was het nog tamelijk kil, ook al brandde de kachel volop.

De arts liep ongedurig heen en weer, zag ze. Ja, man, als je geen tijd hebt moet je niet onaangekondigd langskomen en zeker niet op dit uur.

Ze haalde diep adem. 'Dokter Bernards?' vroeg ze vriendelijk.

Hij draaide zich wat bruusk om. 'Juffrouw Bernards, ik kreeg een telefoontje van mijn tante uit Den Haag. Ik moet zeggen dat ik heel verbaasd was toen ze me duidelijk maakte dat ze wilde weten of u goed was thuisgekomen. En ik kon praten als Brugman, maar ik moest mij persoonlijk op de hoogte gaan stellen. U bent goed thuis-gekomen...' constateerde hij zonder overgang.

Ze knikte verwonderd.

'Uw vader ook?'

Ze keek zo mogelijk nog verbaasder. Nee vader was niet thuis, bekende ze. Waarom stelde hij die vraag?

Zag ze iets van medelijden op zijn gezicht? Ach welnee, dat ver-beeldde ze zich.

'Ik ben bang dat uw vader dan voorlopig ook niet terug zal komen,' zei hij toen.

'Natuurlijk wel, hij heeft vanmorgen een afspraak op de rechtbank. Die zal hij niet willen mislopen door niet te verschijnen.'

'Nee, natuurlijk niet,' gaf hij toe zonder enige overtuiging. Hij liep alweer in de richting van de deur. 'Ik wilde alleen maar weten of alles goed is gegaan.'

Ze knikte kort en volgde hem naar de gang.

'Als er problemen zijn, aarzel dan niet om bij mij aan te kloppen,' zei hij ineens. 'Dat moest ik ook zeggen van tante Charlotte.' Toen stond hij buiten en liep haastig naar de straat.

Lotte knikte beleefd en sloot de deur. Vreemd bezoekje, dacht ze. Wat kwam hij nou doen en met wat voor doel? En waarom had hij het over haar vader? Ze begreep er niets van, maar was blij dat de deur dicht was. Nu kon ze tenminste weer tot rust komen.

De dokter haastte zich op weg naar zijn eerste patiënte van die dag. Een oudere vrouw die gisteren een lelijke smak had gemaakt, op het gladde straatje naast haar eenvoudige woning.

Dokter van het Zand had met stemverheffing uitgebracht dat hij geen arts was voor fabrieksvolk, maar de jonge arts had hem niet eens een antwoord gegeven. Hij was gewoon vertrokken.

Van het Zand zou het niet aandurven hem de laan uit te schoppen, wist hij. Vader Bernards, in het verre Den Haag, zou dat nooit accepteren en dat kon het einde betekenen van de huisartsenpraktijk van dokter Van het Zand.

Het zou Bernards trouwens niet eens slecht uitkomen als Van het Zand de samenwerking zou verbreken. Hij dacht over een eigen praktijk en hij mocht zich vrij vestigen in deze stad. Hij had al een behoorlijke kaartenbak aan patiënten, weliswaar bijna allemaal fabrieksarbeiders, maar ze waren ook allemaal lid van de ziekenbus en dat garandeerde in ieder geval een basisinkomen.

Daar kwam bij dat Bernards geld van zichzelf had. Zijn vader had onlangs zijn bloeiende advocatenkantoor verkocht en de opbrengst verdeeld onder zijn beide kinderen. Hij had geen opvolgers voor de zaak. Zijn enige zoon was arts geworden. De dochter voelde niets voor de advocatuur. Die was docente geworden aan een school voor verpleegsters, met zeer wisselende uren. Dat wilde Femmy zo houden; ook zij was niet van een regelmatig inkomen afhankelijk.

De dokter had gisteravond lange tijd aan de telefoon gehangen bij zijn tante. Die roemde de rechtersdochter mateloos. Aardige vrouw, ontwikkelde vrouw ook, zei ze. Nee Asse, ze lijkt in geen enkel opzicht op haar moeder zoals jij die hebt leren kennen. Jij hebt trouwens een verkeerde kijk op die inmiddels overleden dame.

Hij had weinig begrepen van het hele verhaal. Waar kende zijn blinde tante Lotte Bernards van? Hoe zat dat?

Hij had wel begrepen dat zijn tante de vrouw moest zijn die bij de deftige mevrouw Bernards was geweest toen ze overleed in de trein in Duitsland. Hij snapte niet dat zijn verstandige, lieve tante bevriend was met die hooghartige snob van een rechtersvrouw.

Tante zou het hem allemaal nog eens uitleggen, had ze beloofd. Alles weten was alles begrijpen, ook die in zijn ogen vreemde vriendschap tussen de twee vrouwen.

Maar eerst moest hij zich vergewissen dat Lotte goed was thuisgekomen. Tante had het sterke vermoeden dat ze helemaal alleen in die grote villa zat.

Hij had het gedaan en niet alleen omdat zijn tante hem dat vroeg. Lotte Bernards. Hij hoefde alleen maar de naam te horen om een blos over zijn gezicht te voelen trekken als hij dacht aan die ravenzwarte haren en haar merkwaardig blauwe ogen. Hij was ondersteboven van haar, besefte hij en al vanaf het eerste contact met die zich deftig achtende familie. Hij was bang dat zijn bijdehante zuster en zijn tante dat ook weldra in de gaten zouden krijgen.

Natuurlijk zou hij Lotte helpen. Dat had niemand hem hoeven te vragen... Het was de vraag of zij zijn hulp wilde.

Zij had momenteel een heleboel aan haar hoofd. Pa werd met de dag meer genoemd in de stad. Zijn carrière was naar de knoppen en niet alleen omdat hij zich een aantal keren had schuldig gemaakt aan brutale staaltjes van klassenjustitie, maar ook omdat er andere praatjes rondgingen. Hij zou diep in de schuld zitten, het huis was van de bank, die kon elk moment overgaan tot verkoop. Door zijn arrogante houding werd het geroddel nog eens flink aangedikt. Medelijden met de man om de plotselinge dood van zijn vrouw was er niet, ook niet in zijn eigen kringen. Daar had hij zich niet naar gedragen, zijn vrouw ook niet.

En nou was de rechter nog niet eens terug van de begrafenis van zijn vrouw. Zou hij zo stompzinnig zijn om weg te blijven van die zitting op de rechtbank? Die zitting was voor hem erop of eronder. Hij bleef vast niet weg. Daar had zijn dochter gelijk in. Toch vertrouwde tante Charlotte het niet. 'Hij kon er wel eens tussenuit geknepen zijn...' had ze gezegd. 'Alles en iedereen moet voor hem wijken, zelfs zijn bloedeigen dochter.'

De jongeman voelde medelijden met het meisje. Ze zat er wel helemaal alleen voor. Ze moest gezelschap zoeken bij de huishoudster. Vriendinnen scheen ze niet te hebben, familie evenmin.

Tante Charlotte maakte zich ernstige zorgen toen ze vernam van de financiële staat van het rechtersgezin. Lotte kon elk moment op straat komen te staan. 'Dat mocht niet gebeuren,' zei ze met klem. Ze was in staat naar Almelo af te reizen, samen met zijn zuster Femmy. Hij moest helemaal niet raar staan te kijken als ze een dezer dagen plotseling voor zijn deur stonden.

Tante had nog wat uit te leggen over de bezorgdheid en vriendschap met die freule. Ze was weliswaar blind, maar ze was niet gespeend van mensenkennis, dat had de familie vaker gemerkt. Hij had haar hulp ook nodig. Hij had een plan. In de loop van de nacht waarin hij wakker had gelegen, had hij een oplossing bedacht voor de rechtersdochter en voor zichzelf. Maar of de tante het daar mee eens zou zijn was de vraag...

Hij moest alles maar even vanaf de zijlijn bekijken, zoals ze dat noemden bij het voetballen.

Tante Charlotte zou hem opdragen zich om Lotte te bekommeren en daar was hij helemaal niet op tegen, integendeel. Het gaf hem de gelegenheid met de mooie jonge vrouw in contact te blijven.

14

HET WAS TEGEN TWAALF UUR TOEN ER WEER BEZOEK OP DE STOEP stond. Geen dokter Bernards, ook geen toevallige kennis die kwam informeren naar de begrafenis, maar de politie stond weer voor haar neus. Dezelfde inspecteur, die een week geleden ook het bericht van moeders overlijden had gebracht.

'Het spijt me dat ik u lastig moet vallen. U hebt waarschijnlijk wel iets anders aan uw hoofd in deze dagen,' zei hij vriendelijk.

Ze knikte en liet hem in de kleine salon naast de hal. Ze bood hem een kop koffie aan, die hij gretig accepteerde.

Een aardige jonge vrouw, concludeerde hij. Gelukkig niet zo arrogant als die vader van haar. Hij had de rechter wel eens meegemaakt op een zitting en hij kende de reputatie van de man. Geen prettig iemand en dat was een verzachtende opmerking.

'Uw vader is zeker niet thuis?' vroeg hij rustig.

Ze schudde het hoofd. 'Hij is op de rechtbank,' zei ze langzaam.

'Nee, daar is hij niet. Daarom ben ik hier. Hij diende te verschijnen om elf uur...'

Ze zette het kopje neer. Haar ogen waren een groot vraagteken.

'Gaat dat om de zaak met die textielbaron uit Enschede, die man die het geld van het pensioenfonds van zijn arbeiders in zijn eigen zak heeft gestoken?'

De inspecteur schudde glimlachend het hoofd. 'Nee, hoor. Dat regelen we wel op andere manieren. Als het Openbaar Ministerie het niet eens is met de strafmaat gaat het in beroep, en dan wordt de zaak voor een andere rechtbank opnieuw bekeken. En het is een feit dat het nog maar een generatie geleden is dat niemand zou zijn gevallen over een dergelijke zaak. Nog geen vijftig jaar geleden was het heel normaal dat een rijk man door de rechters met alle egards behandeld werd en een arbeider als een stuk oud vuil. Dat is nu pas aan het veranderen, zoals de hele maatschappij aan het veranderen is; al zullen er altijd mensen blijven die vinden dat zij boven de wet staan. Het zijn er minder geworden, maar ze zijn er nog steeds. Het recht geldt voor iedereen, dat is een mooie kreet. In de praktijk werkt het anders. Daar spelen geld, macht en invloed een rol en soms een kwalijke.'

Hij zette zijn kom terug op de tafel, netjes in de rand van het schoteltje. 'Uw vader werd verwacht voor iets anders, voor een onderhoud over zijn functioneren in het algemeen. Hij kreeg toestemming om zijn vrouw te gaan begraven in Den Haag, maar hij diende zich vanochtend te melden. Hij kwam niet opdagen, weer niet opdagen moet ik zeggen.'

'Hoezo, functioneren? Wij hebben nooit iets gemerkt van problemen op de rechtbank.'

De man keek haar even zwijgend aan. Ja, dat zou best eens waar kunnen zijn. Zo ging het wel vaker, een van de gezinsleden ging in de fout en de rest kreeg de schande mee, ook al was die rest onwetend en onschuldig. 'Ik ben bang dat ik u een aantal illusies moet ontnemen, juffrouw,' zei hij toen. 'Uw vader heeft het recht en de rechtspraak soms met voeten getreden. Daar wordt al meer dan een jaar onderzoek naar gedaan. Hij heeft zich laten omkopen, heeft dossiers verdonkeremaand en verdachten vrijgesproken die wel degelijk schuldig waren. Dat zijn ernstige zaken voor een rechter en die worden zwaar aangerekend. En nu hij ook nog niet verschijnt op een oproep...' Hij zweeg veelbetekenend.

Lotte werd bleek. 'Hoe kan dat dan? Waarom zou mijn vader zich laten omkopen? Hij is een rijk man.'

De politieman keek haar wat meewarig aan. 'Uw vader zit in geldnood en dat is niet iets van de laatste maand. Dat is al een aantal jaren het geval. Uw ouders leefden op een veel te grote voet. Het salaris van uw vader is bij lange na niet voldoende voor die levenstijl. Dat is in bepaalde kringen heel snel bekend en als iemand het water tot de lippen stijgt, zoals dat bij uw vader het geval is, wordt hij gevoelig voor omkoperij.'

'Mijn vader is de rechtschapenheid zelf...' bracht ze uit.

Hij glimlachte wat cynisch. 'Nee juffrouw, dat is hij niet. Hij moest vanmorgen tekst en uitleg komen geven over meerdere zaken die de laatste jaren voor de rechtbank zijn behandeld onder zijn voorzitterschap. Het gaat nu niet meer om zijn baan als rechter. De ontslagaanvraag ligt zo goed als zeker al bij de koningin op het bureau. Het ging vanochtend om het strafrechtelijke gedeelte. In wezen kom ik om hem mee te delen dat hij zich ter beschikking van de rechtbank en de politie dient te houden. Doet hij dat niet dan kan hij zelfs opgepakt worden.'

'Ik zou niet weten waar hij is,' stamelde ze lijkbleek.

De inspecteur zweeg. Tja, dat had hij al verwacht. Hij zat hier in de lichte hoop dat de rechter misschien toch naar huis was gekomen. Dat had het allemaal wat eenvoudiger gemaakt voor iedereen, ook voor de man zelf, al was het geen figuur om het iemand gemakkelijk te maken. Hij zou het meisje dat niet vertellen, dat gaf alleen maar zorg en verdriet. De man was uiteindelijk haar vader.

Hij stond op. 'Als uw vader terugkomt doet hij er verstandig aan zich te melden bij het gerecht, dat weet hij ook wel.'

Daarmee verdween hij.

Ze bleef versteend zitten. Vader was zo goed als ontslagen als rechter. Wat een schande. Lotte was ineens blij dat haar moeder was overleden. Die zou deze ellende niet aangekund hebben.

Haar man is ontslagen omdat hij de boel heeft belazerd, daar komt het toch op neer. Ons soort lui pleegt geen misdaden, had hij meer dan eens gezegd. Arbeidersvolk is misdadig, ontwikkeld volk niet. Hij loopt nu zelf de kans om gearresteerd te worden.

Wie had ook al weer gezegd: 'hoe rijker, hoe inhaliger?'

Lotte grinnikte. Hoe lang geleden was het dat zij zelf dat soort denkbeelden blindelings voor waar had aangenomen? De lerares aan het internaat in België had heel wat op haar geweten, dacht ze met warmte. Maar ze had haar ook sterker gemaakt. Stel dat ze nog het hooghartige meisje was geweest dat ze voor dat internaat was. Ze was er in deze ellende aan onderdoor gegaan.

Ze had haar ouders toch wel erg slecht gekend. Vader trouwde met moeder omdat zij een jonkvrouw was. Had hij zich met zijn intelligentie niet gerealiseerd wat een huwelijk zonder gevoelens betekende? Of dacht hij dat het allemaal wel mee zou vallen? Het was niet alleen de argeloze, bijna onnozele vrouw die meende een man te kunnen veranderen. Mannen wilden hun vrouw ook vaak veranderen in het droombeeld dat zij van haar hadden. Hij de machtige rechter, zij het hulpbehoevende adellijke kindvrouwtje. Hij, een boerenzoon uit Utrecht... Dat was toch niet iets om je voor te hoeven schamen? Waarom deed hij dat, wilde hij zo graag bij dat hoge volk horen? Ons soort volk... Hij was er niet eens eentje van.

Hij droomde nog maar kort geleden van een positie bij de Hoge Raad, terwijl er al een onderzoek liep naar zijn functioneren. Zou hij dat niet geweten hebben? Of geloofde hij dat het allemaal wel mee zou vallen: 'onze soort houdt elkaar de handen boven het hoofd.'

En nu lag het allemaal in duigen, verloren, kapot. Hoe kon het toch zo mis gaan met die vroegere briljante student?

De rechter kwam niet terug de volgende dagen. Hij liet ook niets van zich horen.

Lotte dacht nog even om een paar bevriende, nou ja bevriende, kennissen van haar vader in de stad te bellen, maar ze deed het niet. Dat had geen zin. Iemand die zo in opspraak was geraakt had weinig vrienden meer. De rechter zou zeker niet bij hen aankloppen om hulp. Iedereen liet het afweten, zelfs die advocaat Molenkamp waar vader nog wel eens mee omging.

Ze had het immers gezien bij het overlijden van moeder. Hoeveel van die zogenaamde vrienden hadden hun opwachting gemaakt toen moeder vorige week overleed? Zo goed als niemand.

Desondanks voelde Lotte zich verraden door haar vader en eigenlijk ook een beetje door haar moeder.

Het was geen slechte vrouw, ze was diep ongelukkig, zei Charlotte in Den Haag. Nou, daar hadden ze dan in Almelo nooit iets van gemerkt. Integendeel, Lotte moest niet gaan vragen bij het personeel hoe die over mevrouw Bernards dachten. Als ze durfden zouden ze haar in het gezicht zeggen wat voor een secreet ze was geweest.

Ja, Charlotte had gelijk, moeder was een diep ongelukkige vrouw geweest, maar had ze dat niet over zichzelf afgeroepen? Waarom nam ze zulke domme besluiten, waarom probeerde ze niet die beslissingen terug te draaien? Ze had er kansen genoeg voor gehad in haar leven.

Lotte zuchtte diep.

Waar zat haar vader? Hij was een man in een vrije val, zo noemde ze die waaghalzen die uit een vliegtuigje sprongen. Een vrije val. Als de parachute niet openging viel de parachutist te pletter. Dat leek ook aan de hand te zijn met haar vader.

Er tussenuit geknepen, ja, zo mocht het heten. Was het niet tekenend voor hem? Nu de moeilijkheden hem tot de lippen stegen liet hij blijken wie hij was. Niet bepaald een vent met ruggengraat. Hij liet zijn enige dochter gewoon zitten in alle ellende. Zij moest maar zien hoe ze zich er mee redde. Had hij geen enkel verantwoordelijkheidsgevoel voor zijn eigen vlees en bloed?

Lotte maakte zich over hem weinig zorgen, ze maakte zich meer druk om andere zaken. Er was geen rooie cent meer. Er was ook geen geld in huis. Ze had alles nagezocht en zelfs het kluisje achter het portret in de grote salon geopend. Het was leeg, er lag niets meer in.

Hoe moest ze Annie en de twee dienstmeisjes betalen? Ze hadden recht op hun loon.

Ze kon niet bij een bankrekening komen. Zelf had ze geen spaarbankboekje. Ze had dat nooit gek gevonden. Dat was niet gebruikelijk in hun kringen, zei moeder altijd.

Wat moest ze nou? Het personeel zou het niet begrijpen als het loon niet werd uitbetaald.

Wacht eens, moeder had geld in haar portemonnee. Hoe ze er aan kwam was Lotte een raadsel, maar het was een fiks bedrag.

Ze mocht blij zijn dat de politie in Duitsland zo eerlijk was geweest. Het had ook kunnen verdwijnen in onbekende zakken en dan had niemand er iets van geweten.

Charlotte had het niet over geld gehad. Die wist dat natuurlijk ook niet. Zou ze geweten hebben dat moeder speelde met de gedachten dat ze niet terug wilde keren naar de echtelijke woning? Lotte was een week geleden te verbijsterd geweest over het verhaal van de oudere blinde vrouw om dit soort vragen te stellen.

Dat geld kwam nu goed van pas, Lotte had het bitterhard nodig. Ze moest er echt iets van afnemen om Annie en de twee dienstmeisjes te betalen. Er moesten ook boodschappen komen, er was weinig meer in huis. Jammer moeder, maar ik moet dat geld gebruiken. Ik kan niet anders.

Een dag later kwam Annie aankloppen. Ze was een beetje onzeker, zag Lotte, die haar vriendelijk ontving. Het speet Annie, hakkelde ze, maar ze zei haar baan op. Ze had een nieuwe gevonden.

Lotte knikte. Ze voelde even een teleurstelling, maar toen was ze opgelucht. Gelukkig, ze hoefde Annie niet te ontslaan na zo veel jaren trouwe dienst. Want dat zou ze moeten doen met enkele weken, dat was wel zeker. Net als de dienstmeisjes, die zouden ook moeten vertrekken.

'Ik weet niet wat er gaat gebeuren nu, eh... uw... eh vader,' hakkelde Annie.

'Je hebt gelijk, Annie. Ik weet het evenmin, maar als je nu de kans hebt om een nieuwe baan te vinden moet je die niet laten schieten. Zo dik liggen de banen niet bezaaid tegenwoordig.'

Annie verdween opgelucht naar de keuken.

Dat viel mee, dacht ze toen ze nog snel even een mok koffie inschonk. Ze had er een volle dag mee rondgelopen. Het was zo jammer voor de juffrouw, die kreeg alle narigheid in een keer over zich uitgestort. Maar de directeur van de zuivelfabriek wilde haar graag hebben, en ook thuis hadden ze al gezegd dat ze die kans moest grijpen. Het was daar veel prettiger werken...

Annie zweeg over wat haar oudste broer, de medewerker van het parket, onlangs had verteld toen hij nog even kwam binnenvallen bij haar vader. Hij had haar dringend aangeraden zo gauw mogelijk te vertrekken.

Die rechter? Het was heel erg fout met die man, had hij gezegd. Ze zochten hem bij het gerecht. Schuldeisers hadden zijn faillissement aangevraagd, die hadden jarenlang gewacht voor ze eindelijk eens vroegen om hun geld. Tja, een rechter hè, dat was iets anders dan een arbeider; die was meteen voor de bijl gegaan. De man zat tot over zijn oren in de schuld. Dat mooie huis was allang van de bank. De juffrouw zou het loon misschien niet eens meer kunnen betalen. Dus Annie, opgepast. Als het om faillissementen gaat, ben jij als laatste aan de beurt om nog iets mee te krijgen. Straks moet je voor niets werken.

Dat mocht haar broer natuurlijk niet vertellen, maar hij ging er vanuit dat de familie wist wat ze voor zich moest houden.

Annie bedacht zich wel twee keer voordat ze het Lotte zou vertellen. 'Zie maar dat je je loon nog krijgt,' had vader nog gezegd tegen zijn dochter. 'En dan ga je meteen weg. Je hebt geen verplichtingen aan die lui, al is de juffrouw nog zo geschikt...'

Ze vond het wel jammer, maar ze moest aan zichzelf denken. Er kwam een dag dat ze alleen met vader zou zijn en dan waren ze met zijn beiden afhankelijk van haar inkomen. Haar jongste broer, die nog thuis was, had laten doorschemeren dat hij een aardig meisje was tegengekomen. Hij had de leeftijd voor een eigen huishouding. Bovendien kreeg Annie nog meer loon, ook bij de directeur en zijn vrouw. Het was zonder meer het beste om zo gauw mogelijk te vertrekken, al voelde ze iets van weemoed.

Diezelfde week nog kwam een van de dienstmeisjes melden dat ze ontslag moest nemen. Haar zuster was ernstig ziek; ze had tbc en werd opgenomen in het sanatorium in Hellendoorn.

Ze moesten allemaal gekeurd worden, zei ze sniffend en daarom was het beter dat ze meteen maar vertrok.

Lotte knikte lusteloos. Ja kind, schuif het daar maar op. Ik heb ook liever dat je zelf vertrekt dan dat ik je moet ontslaan, want dat gebeurt een dezer dagen toch.

De volgende dag vertrok ook het andere meisje. Lotte liet haar zonder spijt gaan. Ze was blij dat ze hen de lonen kon betalen, al moest ze zuinig zijn met het geld dat ze nog had.

Ze woonde nu alleen in dit grote huis en het was onzin om twee dienstmeisjes aan te houden, zelfs een was al teveel.

Die zondagmorgen toen ze uit de kerk kwam, werd ze aangehouden door dominee Van de Heuvel. Het was een aardige man, die zich weinig met de familie had bemoeid in de afgelopen jaren. De rechter en zijn trotse vrouw kwamen ook weinig bij hem in de kerk. De positie van de dominee was niet meer van een dergelijk maatschappelijk aanzien dat hij tot de familiekring behoorde, zoals dat vroeger het geval was geweest. Deze dominee stond ook bekend als een beetje neigend naar de socialistische kant en dat werd hem niet in dank afgenomen door de textielfamilies van Almelo. Niet dat hij zich daar veel van aantrok, maar er waren altijd arbeiders die vonden dat de dominee zijn plaats moest kennen tegenover de heren van de textiel. De fabrikanten zorgden voor werk en daar diende men dankbaar voor te zijn. Stel je eens voor dat er geen fabrieken waren...

'Tja,' zei hij dan, "wiens brood men eet, diens woord men spreekt', er zijn mensen, die het nooit zullen leren.'

Hij had vorig jaar zijn mening gegeven over de grote staking van de textielarbeiders in Enschede. De textielfabrikanten hadden de staking uitgelokt, zei hij ronduit en dat wist iedereen ook wel. Maar het werd dominee aangerekend dat hij het openlijk zei.

Toen hij de jonge vrouw bijna schichtig zag bewegen naar de uitgang van de kerk na de dienst, voelde hij medelijden. Hij had het nodige aangehoord de afgelopen weken over de rechter, en over zijn vrouw die zo onverwacht overleed.

Het meisje stond er helemaal alleen voor, besefte hij. Ze had geen familie die zich om haar bekommerde. Ze had ook geen goede vrienden die haar in bescherming namen en waar ze op terug kon vallen.

Hij zag de blikken en de slinkse gebaren van elkaar aanstoten en knikken naar de elegante gestalte die probeerde zich snel uit de voeten te maken. Ja, ze ging over de tong, daar was hij van overtuigd. Veel medelijden zouden de mensen in de stad niet kennen.

Het was algemeen bekend dat de rechter niet teruggekeerd was van de begrafenis. De conclusie was snel getrokken: die zat in het buitenland.

De dominee had respect voor het feit dat de jonge vrouw nog in de kerk gekomen was.

Velen waren simpelweg thuisgebleven.

Hij riep haar naam toen ze in de schrale najaarszon haastig naar de straatweg liep: 'Juffrouw Bernards!'

Ze keek om met een grimmige lach om de mond. Ze was niet bang, dacht hij.

'Hoe gaat het ermee?' vroeg hij vriendelijk. 'Het zijn geen eenvoudige dagen voor u. De dood van uw moeder; uw vader die zo in opspraak is...'

Ze beaamde het zonder aarzelen.

'Kan ik iets voor u doen?' bood hij aan.

Ze glimlachte dankbaar. Nee dominee, dacht ze, u kunt weinig voor mij doen, maar uw medeleven doet me goed. Ik red me wel, het is rustig in huis, vredig bijna. Dat heb ik nog nooit meegemaakt. De spanning was altijd voelbaar in elke kamer van het huis. Ik heb de meeste kamers afgesloten. Dan hoef ik er ook niet naar om te zien. Het enige probleem is geld en daar kunt u me niet mee helpen. Als het geld alleen maar verdwijnt en er komt niets bij dan is de bodem snel in zicht, zelfs al is het een fortuintje.

'Is er iets bekend over uw vader?' vroeg hij ronduit.

Ze schudde het hoofd. Nee, ze had nog steeds niets gehoord. Van niemand, ook niet van de politie.

Hij knikte en gaf haar de hand. 'Ik wens u veel sterkte en als ik iets voor u kan doen, laat het me dan weten.'

Ze liep door, blij om de vriendelijke woorden.

Ze weigerde te luisteren naar het besmuikte gefluister achter haar rug. Niemand sprak haar openlijk aan.

Het waren eenzame dagen voor Lotte. De telefoon zweeg, er werd niet gebeld, er kwamen geen bezoekers.

Ze vond het niet erg, die eerste dagen. Ze genoot van de rust en de stilte. Toch zou ze wel eens willen praten met iemand, simpelweg kletsen, vertellen wat haar dwars zat, haar hart uitstorten. Ze had nooit veel vriendinnen gehad, ze was te lang weggeweest uit Almelo toen ze op dat internaat zat.

Internaat, dacht ze die zondagavond. Ik schrijf nu echt aan mijn oude lerares, en de gouvernante moet ook nog een berichtje hebben. Ze ging zitten aan het bureautje dat haar moeder altijd gebruikte voor haar correspondentie. Nou altijd, het meubeltje stond er meer voor de pronk dan voor het nut. Moeder was nooit druk geweest met corresponderen. Ze had daarvoor te weinig kennissen gehad.

Lotte bleef een ogenblik staan en bekeek het meubel. Raar idee dat moeder daar nooit meer zou zitten. Haar ogen gleden naar het statige portret erboven. Moeder in een deftige avondjurk. Vreemd, ze zou haar nooit meer zien.

'Ze had een aardige kant,' zei Charlotte. 'Ze was diep ongelukkig.'

Maar ik was ongewenst, dacht Lotte ineens. Ze heeft vader gehaat. Hij zou toch ook gemerkt hebben dat het niet ging tussen hem en moeder? Het moest voor hem ook een onmogelijke situatie zijn geweest. Misschien was daar zijn norsheid en onbeschoftheid wel op terug te voeren.

'Hij beledigde en vernederde haar,' zei Charlotte. Waarom? Kon hij haar anders niet bereiken dan door zich van de meest vervelende kant te laten zien? Waarom stopte hij er niet mee? Was hij zo gevoelig voor die adellijke kant van zijn vrouw? Had zijn afkomst hem zo dwars gezeten dat hij zijn verleden volkomen verloochend had, compleet met een valse stamboom?

Hij zou trots moeten zijn op zichzelf, en zijn ouwelui die het met elkaar toch maar gered hadden om hem te laten studeren, en hem te zien stijgen op de maatschappelijke ladder...

Lotte schudde het hoofd. Meid, wie is hier het meest veranderd door de jaren heen, jij of je ouwelui? Deze gedachten had je tien jaar geleden niet overwogen.

Vader. Hij moest iets van charme en aantrekkingskracht hebben gehad toen hij moeder ontmoette. Had hij het overschat, een huwelijk uit verstandelijke overwegingen? Hij, een boerenzoon uit de omgeving van Utrecht.

Het leven moest voor hem een desillusie zijn geweest. Eindelijk doorgedrongen tot de hoogste kringen en een vrouw trouwen, voor wie hij duidelijk een tweede keus was.

Lotte zuchtte diep en ging zitten. Ze sloeg de schrijfmap open en begon langzaam te schrijven. Ze had nog geen drie regels neergepend toen ze de telefoon hoorde rinkelen. Verbaasd luisterde ze naar het schelle geluid. Hoorde ze het goed. De telefoon, op zondag nog wel. Er waren veel mensen die niet op zondag de telefoon zouden aannemen, laat staan zelf bellen.

Lotte bedacht zich niet lang. Ze holde de trap af naar de hal waar het toestel hing. Ze had al dagen geen mens gesproken behalve dan vanmorgen de dominee.

Buiten adem meldde ze zich. Was het vader misschien, die zich meldde vanuit een plaats, ergens in Nederland of misschien zelfs wel uit het buitenland? Wie kon het anders zijn dan hij?

Ze hoorde een vrouwenstem, een onbekende stem. 'Hallo, met Lotte Bernards?' kwam de vraag toen ze min of meer teleurgesteld zweeg.

'Ja?' zei ze.

'Met Charlotte de Beauhertain.'

Lotte had in die weinige minuten dat ze de trap afstoof alleen maar gedacht en gehoopt dat het haar vader zou zijn die belde.

Maar het was Charlotte die zich meldde. Het duurde even voor Lotte zo ver was dat ze die teleurstelling weggeslikt had. Maar toen was ze weer opgelucht. Ze had een mens aan de telefoon die een vriendelijk woord sprak.

Charlotte wilde weten hoe het met haar ging. Of ze al iets van haar vader had vernomen. Hoe ging het leven nu in Almelo? Had ze nog iets van aanspraak, keek er nog iemand naar haar om? Kon ze haar verhaal kwijt aan een goede vriendin of kennis?

Het gesprek duurde niet eens lang. Na vijf minuten legde de jonge vrouw de hoorn op de haak. Ze was een stukje opgeknapt. Het zag er niet zo donker meer uit. Er waren nog mensen die haar niet in de steek lieten, dacht ze. Het was alleen jammer dat Charlotte zo ver weg woonde.

Langzaam liep ze de trap weer op naar boven om haar brieven verder te schrijven.

15

DE VOLGENDE DAG POSTTE LOTTE DE BRIEVEN AAN HAAR OUDE LERA-
res en haar vroegere gouvernante op het postkantoortje in de
binnenstad.

Toen ze zwijgend in de rij stond te wachten tot het haar beurt was
om de brieven af te geven, hoorde ze een gedempte stem achter zich.
'Je hebt mensen die zich nergens voor generen,' verkondigde
iemand op een half fluisterende toon, die bedoeld was voor de persoon over wie hij het had, meende Lotte.

Ze hebben het over mij, dacht ze en kreeg de neiging in elkaar te
krimpen. Ze bleef strak voor zich uit kijken. Niet op reageren, daar
schoot je niets mee op. Het laatste wat ze wilde was een onverkwik-
kelijke scène midden in deze openbare ruimte.

Er waren nu eenmaal genoeg mensen die alleen maar achter de rug
van anderen om durfden te praten. Als ze zich om zou draaien keek
ze in een paar uitgestreken gezichten. Niemand durfde rechtstreeks
te zeggen hoe hij over haar en haar familie dacht.

'Het is een grof schandaal,' stemde een andere vrouw in. 'Die kerels
hebben geld zat en ze moeten er altijd nog wat bij hebben. Mijn
moeder zei vroeger al: 'hoe hoger de bult met geld, hoe minder er
mee tevreden...''

'Zeg dat wel. En hoe kwamen ze aan al dat geld. Eerlijke mensen
worden niet rijk, zeker dat soort mensen niet.'

Rijke mensen stelen niet, beweerde vader. Ze hoorde nu het tegen-
overgestelde beweren.

'Hij schijnt opgepakt te zijn, zeggen ze. In Zwitserland...'

'Ik heb er iets van gelezen,' kwam de andere weer. 'Het stond eergisteren in de krant.'

Lotte was bijna aan de beurt. Opgepakt, dacht ze verward. Was
vader al opgepakt en nog wel in Zwitserland? Wat moest hij daar?
Stond dat in de krant? Ze had de laatste dagen geen krant gezien.

'Hij had een dikke rekening in Zwitserland bij de bank. Dat hebben al die fabrikanten, wat ik je brom,' hoorde ze weer. 'En reken erop dat het geen eerlijk verkregen geld is.'

De ander grinnikte kwaadaardig. 'Dacht jij dat die fabrikanten eerlijk aan hun geld kwamen? Dat hebben ze over de ruggen van de arbeiders heen bij elkaar geschraapt. Die vent is toch een gewone dief?'

Fabrikanten? Arbeiders? Hadden ze het niet over de rechter? Ze was aan de beurt en gaf de brieven af. De man achter het loket keek haar niet eens aan. Dat deed hij bij niemand.

'Die fabrikant heeft het geld van die arbeiders in eigen zak gestoken?' mengde nog een stem zich in het gesprek. 'Ik heb het ook gelezen. Hij is gearresteerd in Zürich, meen ik. Die heeft meer achterovergedrukt dan alleen dat pensioengeld van de arbeiders, stond er in de krant.'

'En hij werd geholpen door de rechtbank, die sprak hem vrij. Zo zie je maar weer: ze houden elkaar de hand boven het hoofd: de kerk, de fabrikanten en het gerecht,' zei de stem achter haar weer.

'Maar het schijnt dat een hogere rechtbank anders heeft beslist. Hij is nou wel veroordeeld, anders hadden ze hem niet opgepakt.'

Lotte zuchtte opgelucht. Ze hadden het over iemand anders, dacht ze en liep het postkantoor uit.

Ze merkte niet dat men haar nakeek. 'Dat is de dochter van die rechter, die de fabrikant de hand boven het hoofd hield. Die vent is geloof ik ontslagen, ik heb zoiets gehoord,' merkte een van hen op. 'Die heeft er meer de hand boven het hoofd gehouden, anders hadden ze hem niet ontslagen. Zo gemakkelijk krijg je een rechter niet weg, dan moet hij wel iets meer hebben uitgehaald.'

Toen draaiden ze zich weer om. Ze waren bijna aan de beurt. De rechtbank was een instituut waar ze zelden mee in contact kwamen.

Later in die week had Lotte net een kleine was opgehangen in de bijkeuken toen ze de bel hoorde. Zelf de was ophangen, dacht ze bijna spottend. Als mijn ouders dat zouden zien.

Moeder... Ze was al weer anderhalve week geleden begraven. Ze keek verbaasd en ook enigszins geschrokken op. Haar ogen gleden automatisch naar de klok in de hoek van de kleine salon. Het was ruim twee uur in de middag. Vader, dacht ze meteen. Hij is teruggekomen. Gelukkig, hij heeft zijn verstand erbij gehouden en hij zal ongetwijfeld uit weten te leggen waarom hij niet is verschenen bij de zitting van vorige week. Ze zette de wasmand neer en rende naar de hal vanuit de bijkeuken. Met een ruk opende ze de deur. Nee, schoot het meteen door haar heen. Het was niet vader, die op de stoel stond. Toen schoot haar te binnen dat hij ook niet zou aanbellen als hij het zou zijn. Hij had zijn eigen sleutel.

'Komen we gelegen?' vroeg een opgewekte stem.

'Ja, ja, natuurlijk,' stamelde ze en ging aan de kant om de bezoekers binnen te laten. Ze was verrast en ze voelde zelfs opluchting. Voor het eerst sinds dagen kwam er bezoek.

Een wat onzekere hand zocht de hare. 'Wij konden niet in Den Haag blijven zitten tot we nog eens iets van je zouden vernemen. We moesten gewoon komen,' zei de vriendelijke stem. 'We hoorden van Asse hoe alleen jij er voor staat met al die narigheid. We kunnen misschien niet daadwerkelijk helpen, maar we kunnen je wel gezelschap houden en geestelijk steunen.'

'Ja, hou het maar op geestelijke bijstand,' lachte een andere stem. Femmy en Charlotte, dacht Lotte. Wat ben ik blij dat zij er zijn. De laatste dagen waren zwaarder geworden. De aangename rust en stilte werden zoetjesaan tot een drukkende stilte. Niemand stond op de stoep, niemand belde haar op. De dagen duurden zo verschrikkelijk lang en ze kon nergens haar gedachten bijhouden. Ze joegen door haar geest, het ene onderwerp na het andere en altijd bleef die ene vraag: 'waar is mijn vader?' Zit hij ergens prinsheerlijk onder de tropische zon of ligt hij ergens op de bodem van een rivier? Ze had alles in huis op de kop gezet. Ze had moeders kleren bij elkaar gezocht en gespeurd naar iets persoonlijks. Moeder hield een dagboek bij, maar ze vond het niet tussen de spulletjes.

Ze had gisteren de hele hal gedweild uit pure verveling. Ze keek in de ochtend en middag uit naar de postbode of die brieven bracht, maar hij ging al dagenlang het huis voorbij.

Er was niemand die zich om haar bekommerde. Ook van Annie had ze niets meer gehoord, van de dienstmeisjes evenmin.

En nu stonden deze mensen uit Den Haag zomaar op de stoep.

'Ik zal meteen thee zetten,' bood ze aan.

Ze bracht hen naar de kleine salon, waar het behaaglijk warm was. In de hal was het kil en koud, in de andere kamers ook. Daar kwam ze toch niet, daarom had ze de grote salon afgesloten. Ze at in de keuken aan de tafel en ging 's avonds vroeg naar bed. Dat spaarde weer brandstof uit. Dat moest ook wel, er was al een heel gat geslagen in het kleine kapitaal van haar moeder.

Opgelucht en plotseling blij liep ze meteen naar de keuken om thee te zetten. Het leven leek ineens heel anders nu er bezoek was gekomen. Ze was niet meer alleen, ze had aanspraak.

De twee bezoekers hadden de mantels uitgetrokken en lieten zich zakken in de comfortabele stoelen.

Ze keken elkaar aan. 'En of het nodig is dat wij onze opwachting eens maken,' merkte Femmy op met een knik naar de deur waardoor Lotte verdwenen was.

Charlotte knikte instemmend. 'Ik was alleen bang dat ze het zou uitleggen als bemoeizucht. Uiteindelijk ken ik haar nog maar heel kort.'

'Nou ik vreesde voor die vader van haar,' mompelde Femmy.

'Daar was ik geen moment bang voor. Die is er vandoor, wat ik je brom. En waar die uithangt? Joost mag het weten.'

Lotte kwam alweer teruglopen. 'Het water staat al te koken. Blijven jullie hier logeren?' vroeg ze blij.

'Asse heeft de ruimte niet om ons te bergen, maar er zijn hotels, ook in Almelo hoor. Nee, doe geen moeite voor ons,' zei Femmy direct. 'We zijn al eerder in Almelo geweest bij onze broer en toen

hebben we ook onze intrek in een hotel genomen.'
'Ik heb ruimte zat en ik vind het... nou ja, ik zou het erg plezierig vinden als jullie hier bleven.'
Femmy knikte kort. 'Goed, dan blijven we hier op één voorwaarde: wij helpen mee in de huishouding en we betalen voor de kost. Ben je helemaal mal? Ik zie toch dat er geen personeel meer is. Wij kunnen best zelf de bedden opmaken en helpen met koken. Thuis is er ook maar een dienstbode. Moeder heeft ons de huishouding goed geleerd. We moesten alles doen: dweilen, de trappen afnemen, de ramen lappen.'
'Daar ben je heus niet slechter van geworden,' vond Charlotte. 'Dat deed mijn moeder ook al met ons. We hebben wel een duurklinkende naam, maar dat is ook alles Femmy.'
Lotte keek wat verward van de een naar de ander. 'Het personeel is vertrokken, zelfs onze huishoudster, die hier vijftien jaar is geweest, is al weg. Ze kon een andere baan krijgen. Ze heeft gelijk. Het is hier een kwestie van weken, dan is het voorbij...'
Femmy stond op en pakte de mantels van de stoel om ze naar de hal te brengen. Lotte volgde haar toen ze de fluitketel hoorde.
Charlotte wachtte af tot de twee jonge vrouwen terug waren met de thee. Femmy deelde de kopjes rond met een air alsof ze al jaren over de vloer kwam.
'Zitten jij,' zei ze kortaf tegen Lotte. 'Je hebt genoeg te verstouwen gehad de laatste weken.' Ze gaf haar een kop thee.
'Hoe gaat het nu?' vroeg Charlotte.
Lotte haalde de schouders op. 'Gaat wel,' zei ze toen.
Femmy keek haar strak aan. Het gaat helemaal niet, dacht ze.
Die zit er grenzeloos alleen voor. Alsof het niet meer dan genoeg is dat je moeder zo onverwacht komt te overlijden. Haar vader heeft de kuierlatten genomen. Heeft hij dan geen moment aan zijn dochter gedacht? Waarom nam hij haar niet mee?
'Ik heb mijn vader aan de mouw getrokken,' zei ze ineens. 'Hij heeft weliswaar geen advocatenkantoor meer, maar hij zoekt nog graag

het een en ander uit. Hij had binnen de kortste keren ontdekt waar je vader was. De politie weet ook waar hij uithangt. Hij zal niet meteen opgepakt worden, daarvoor is het allemaal te ongewis en te onzeker, maar ze houden hem wel in de gaten. Hij is intussen wel voorgedragen voor ontslag als rechter. Dat moet gebeuren via de Kroon. Rechters worden aangesteld door de Kroon.'

Lotte zweeg. Maar ik weet niet waar hij is. En niemand vertelt het me, jullie ook niet.

'Waar is hij dan?' vroeg ze langzaam.

Het werd stil. Femmy schudde het hoofd. 'Mijn ouwe heer wilde het niet zeggen. Hij denkt dat je erg weinig van je vader weet.'

Lotte keek verbaasd naar de jonge vrouw. Toen vertrok haar gezicht. 'Zit hij soms bij een andere vrouw? Het zou me niet verbazen. Eerlijk gezegd speelt die gedachte al langere tijd door mijn hoofd.'

Ze lette niet op de twee vrouwen die een snelle blik wisselden. Ze zag het niet en staarde het raam uit naar buiten.

Een maand geleden aasde hij nog op een positie bij de Hoge Raad, nu was hij al praktisch ontslagen. Hoe was het mogelijk? Het ging anders nooit vlug bij de overheid, die had maandenlang nodig om een oordeel te vormen. Er waren wel sterke krachten aan het werk die het met haar vader niet zagen zitten en hem graag zagen struikelen. Of zijn misstappen werden hem bijzonder zwaar aangerekend...

Ze waren al een jaar met een onderzoek bezig, zei de politie.

Ze kon weinig sympathie opbrengen voor haar vader. Een baan als de zijne maakte dat je integriteit buiten kijf diende te zijn. Als je daar als rechter de hand mee lichtte werd de rechtspraak een lachertje. Vader had er de hand mee gelicht, en niet alleen met die fabrikant die nu werd teruggebracht naar Nederland. Hij was er nog gemakkelijk mee weggekomen, had ze gedacht toen ze hoorde wat het vonnis in hoger beroep was geworden. Men vond dat hij al genoeg bestraft was doordat zijn maatschappelijk aanzien danig was geschaad. Maar hij had het wel aan zichzelf te wijten.

Vijftig jaar geleden had niemand ermee gezeten. Er was veel veranderd sinds de Grote Oorlog. Maar de grote verschillen tussen arm en rijk bestonden nog steeds, dat bleek nu wel weer. De pensioengelden van de arbeiders waren weg en bleven weg.

'Ik zou zeggen: laat je vader mooi zitten waar hij zit,' merkte Femmy toen op. 'Dat doet hij met jou ook. Als je juridische hulp nodig hebt, hoef je het maar te zeggen. Dan wil mijn ouwe heer je graag helpen.'

Lotte keek ineens naar Charlotte. Er schoot haar iets te binnen. Kon zij geld krijgen van de spaarrekeningen van haar vader? Of waren die geblokkeerd nu er geruchten gingen over het faillissement? Kon Femmy's vader daar eens naar kijken?

Toen ineens: het geld dat moeder in de portemonnee had. Waar kwam dat vandaan? Kwam ze er wel eerlijk aan?

'Ik heb nog een vraag. De spullen van moeder zijn uit Duitsland teruggekomen. In moeders portemonnee zat een behoorlijk geldbedrag...'

Charlotte glimlachte. 'Dat klopt. Ik heb het je moeder gegeven. Ze zijn toch eerlijker in Duitsland dan ik dacht.'

'Ik geef het u terug,' zei ze vastbesloten en wilde al opstaan om het geld te pakken.

'Jij geeft helemaal niets terug,' zei Charlotte streng. 'Kind, hou op, niet zeuren over dat geld. Ik heb niets nodig en ik kan maar een jurk tegelijk aantrekken. Ik wilde dat je moeder het zou gebruiken om een nieuw leven te beginnen samen met jou. Dat had ze me beloofd, eindelijk maar toch. Ik heb in de consternatie die meteen daarop volgde niet weer aan dat geld gedacht.'

Femmy grijnsde breed. 'Probeer het maar niet, het zal je niet lukken. Ze heeft haar hele leven alle centen opgepot en nu zit ze er mee in haar maag, zegt ze altijd.'

Charlotte leunde voorover. 'Meisje, ik ben zo blij dat ik je eindelijk leer kennen. Je moeder en ik hadden altijd woorden over een onderwerp: 'ik wil mijn petekind leren kennen'.'

'Waarom wilde ze dat niet?' vroeg Lotte bijna bevend. Wat was het leven een stuk plezieriger geweest als ze die kordate Femmy als vriendin had gehad en als Charlotte er geweest was om op terug te vallen.

Charlotte leunde achterover en speelde met haar blindegeleidestok. 'Ja, wat moet ik daarop zeggen? Eloise had weinig moederlijke gevoelens. Dat hoeven we niet te ontkennen. Helemaal onbegrijpelijk is dat niet. Het huwelijk van haar ouders was geen stralend voorbeeld om na te volgen. Maar ze heeft er zelf ook een potje van gemaakt. Ik heb mij vaak verbaasd over haar. Ze had duidelijk twee levens en die werden streng gescheiden. Jij behoorde tot de Almelose wereld en ik tot de Haagse. Het ene was goed en het andere deugde voor geen cent. Het spijt me genoeg dat het me nooit gelukt is om haar te overtuigen van die verkeerde visie. Misschien had een zenuwarts er wat aan kunnen doen. Ik ben ervan overtuigd dat ze die nodig heeft gehad en dat ze er veel baat bij had kunnen hebben. Ze heeft je tekort gedaan en geen klein beetje ook. Dat is haar kwalijk te nemen. Toch mag je haar niet gaan haten. Haar leven was niet eenvoudig.'

'Het was vaak geen aardige vrouw, tante Charlotte. Jij hebt haar ook wel eens naar de andere kant van de wereld gewenst,' bromde Femmy.

Charlotte glimlachte voor zich heen. 'Ja dat is waar, maar ik kon haar niet in de steek laten; ik ben lang de enige geweest die ze had. Vrienden kunnen ook kanten hebben die je liever niet ziet. Daarom hoef je ze niet altijd te laten vallen. Maar ik geef toe dat er ogenblikken waren dat ik er dichtbij was om haar de rug toe te keren.' Ze knikte nadrukkelijk. 'Ik heb je moeder altijd voorgehouden dat jij nergens schuld aan had. Dat ze jou niet de dupe mocht laten worden van haar mislukte leven. Zo zag ze het: een mislukt leven. Ze heeft inderdaad nogal wat foute inschattingen gemaakt die ze niet hersteld heeft terwijl ze daar wel de mogelijkheden toe had.'

Dat moeder dat accepteerde van haar oudere vriendin, schoot het door Lotte heen. Ieder ander was meteen uit de kennissenkring gezet. Moeder kon geen greintje kritiek velen op haar gedrag. 'Hoe leerde ze mijn vader kennen?' bracht ze uit. 'Ik besef nu pas dat ik niets van hen afweet. Vertel me asjeblieft iets over hen.' Charlotte glimlachte. 'Het verhaal van je moeder ken je, dat heb ik je in Den Haag verteld. Het verhaal van je vader ken ik maar gedeeltelijk. Hij is een jongste zoon uit een groot gezin en hij kreeg de kans te gaan studeren. Hij heeft zich vanaf het moment dat hij in Leiden studeerde, alleen maar opgehouden in de kringen van de leden van deftige en vooraanstaande families. Mijn broer Johannes studeerde ook in Leiden. Hij en de vader van Femmy waren van oudsher al vrienden. Ze telden in eerste instantie niet mee bij Hendrikus Johannes Bernards. Ze waren niet rijk en vooral niet vooraanstaand genoeg in zijn ogen.

Maar toen hij erachter kwam dat Femmy's vader een regelrechte nazaat was van de deftige patriciersfamilie Bernards uit Aerdenhout, zocht Hendrik Bernards toenadering.

Waarschijnlijk is toen het idee ontstaan om zich ook voor te doen als lid van die familie. De achternaam was immers dezelfde. Ik geloof zelfs dat hij mede daardoor de functie van rechter in Almelo verkreeg. Ja, een deftige naam, en eentje waarvan men denkt dat er geld aan kleeft, doet vaak wonderen in de maatschappij. Shakespeare kan wel zeggen: 'wat doet een naam ertoe', nou in bepaalde kringen heel veel, geloof dat maar van mij. Ook al ben je een proleet van een vent, dat is onbelangrijk met een goed klinkende naam.' Charlotte knikte nadrukkelijk.

'Je moeder was min of meer bevriend met mijn jongste zus. Jouw moeder was niet echt hooggeboren en deftig meer, haar familie had al aardig ingeboet aan respect en aanzien, zoals je inmiddels wel weet. Jouw ouders hebben elkaar leren kennen bij mijn ouders thuis. Vrienden, studenten en ander volk, zullen we maar zeggen.

Hendrik Bernards kwam in beeld als toekomstige bruidegom toen je moeder in een diepe depressie zat vanwege die verbroken verloving.'

Charlotte zweeg een tijdlang. Lotte liet het op zich inwerken. Een boerenzoon die aansluiting zocht bij de voorname studenten in Leiden. Wat moest die man een minderwaardigheidscomplex hebben gehad. Dat had hij misschien zijn leven lang gehouden. Hij speelde de almachtige rechter en was in wezen altijd de onzekere bangelijke en onhandige boerenzoon gebleven die zich geen houding kon aanmeten, en dacht dat onbeschoft gedrag tegenover ondergeschikten en arbeiders blijk gaf van hooggeborenheid.

'Had hij in zijn studententijd al geen contacten meer met zijn ouwelui?' vroeg ze langzaam.

'Nee, zijn familie had voor hem afgedaan. Hij vertelde al voor zijn huwelijk dat zijn ouders vroeg waren overleden. Dat bleek niet waar, ze leefden nog vele jaren in Utrecht. Hij heeft ze niet meer willen zien.'

'Hij was toch een intelligente jongen,' verzuchtte ze.

'Ja, dat was hij ook. Hij was een briljante student. Maar het ging met hem zoals het vaker gaat met jongens van gewone afkomst. Hij kwam in een andere wereld terecht, de wereld van het geld en de reuk van succes. Het zijn nog altijd sterke benen die de weelde kunnen dragen.' Ze keek de jonge vrouw aan. 'De meeste arbeiderskinderen krijgen de kans niet om te gaan studeren, ze gaan als twaalfjarige de fabriek in, al kunnen ze nog zo goed leren. Soms als het de jongste betreft van een groter koppel, is er die kans. Daar moeten dan alle andere kinderen aan meebetalen. Jouw vader was iemand met die achtergrond. Zijn ouders waren keurige mensen waar je je geen moment voor zou hoeven te schamen, zelfs niet als je het tot rechter hebt gebracht. Integendeel mag ik wel zeggen, je zou trots op dergelijke ouders moeten zijn die zo veel voor jou over hebben gehad. Maar als de koe wil vergeten dat ze ooit kalf was... Charlotte zweeg een tijdlang. Haar handen streken over haar knieën alsof ze haar jurk moest gladstrijken. Ze glimlachte bijna verontschuldigend. 'Jammer genoeg trof hij geen partner die in staat was hem af te remmen in zijn grootheidswaan, want daar was hij niet vrij van.

Niets was goed genoeg: een groot huis, een deftige vrouw, dure meubelen, veel personeel. Je moeder was helaas net zo, en dat was een minder aardige kant van haar. We zijn allemaal net mensen, we hebben allemaal onze zwarte kanten.' Charlotte zweeg.

Lotte zuchtte. Grootheidswaan kwam voort uit een minderwaardigheidscomplex, dat had ze gelezen in de boeken van een psychiater uit Zwitserland. 'En nu is hij helemaal aan lager wal geraakt,' merkte ze op.

De andere twee knikten. Charlotte dacht dat hoogmoed nog vaak voor de val kwam. De rechter was hard gevallen, maar het was de vraag of hij het zou zien als een levensles. Het was waarschijnlijker dat hij met de beschuldigende vinger naar anderen zou wijzen en hen verantwoordelijk zou stellen voor zijn ongeluk.

Femmy keek om zich heen. De kostbare meubelen, de schilderijen aan de muur, de kleden op de vloer. Het was een toonzaal, geen huiskamer om in te leven en je prettig in te voelen.

Dus hier had die redelijk onbekende vriendin van haar tante altijd gehuisd met man en dochter. Arme Lotte, die had een rijke maar eenzame jeugd gehad. En toch, het was een stabiele meid die heel nuchter met beide benen op de grond stond. Hoe was dat mogelijk? Ze had net zo verknipt moeten zijn als haar moeder.

Femmy had meer dan eens gevraagd waarom haar tante die vrouw van de rechter niet liet vallen. Charlotte had het altijd geduldig uitgelegd. 'Ze is een dodelijk onzekere jonge vrouw. Als ik haar laat vallen, gaat ze er onderdoor,' had ze gezegd. 'Ze mag dan trots zijn op haar adellijke titel, ze is in wezen niets en kan ook niets, ze heeft alleen haar deftige voorouders om mee te pronken, en dat is allemaal allang voorbij. Het beste aan haar ligt op de begraafplaats Oud Eik en Duinen. Zij is een product uit een voorbije tijd en ze heeft geen aansluiting bij de moderne tijd. Een deftig voorgeslacht is mooi, maar alleen in combinatie met uiterst modern geld. Er is niemand die dat beter weet dan mevrouw Bernards, geboren jonkvrouw De l'Eau tot Lichtenstein...'

16

VOOR HET EERST SINDS DAGEN STOND LOTTE DE VOLGENDE MORGEN op met iets van zin in de nieuwe dag. De laatste dagen had ze soms gedacht: blijf maar liggen. Wat heeft het voor zin om je aan te kleden. Voor wie zou je je druk maken? Er is geen personeel meer, er is niemand die zal aankloppen om enige belangstelling te tonen... Vandaag was ze vroeg uit de veren en liep snel de trap af.

Ze vond Femmy al in de keuken. Die was nog vroeger opgestaan. 'Ik ben altijd vroeg,' lachte ze.

Het theewater stond al op het fornuis, de theepot met thee wachtte. Brood en koek stonden klaar.

'Ik heb je telefoon gebruikt,' zei ze ongegeneerd. 'Asse moet weten waar wij ons ophouden in Almelo. Hij had al naar een hotel gebeld waar we vaker zijn geweest en daar waren we niet. Hij zat al in de zenuwen. Die denkt meteen dat we ontvoerd zijn of iets dergelijks. Dat gebeurt alleen in Amerika.'

Lotte glimlachte bij het horen van het zorgeloze gebabbel.

'Hij probeert vanmorgen nog even langs te komen als hij tijd heeft, als jij het goed vindt tenminste.'

Ze knikte en voelde zich wat verward. Natuurlijk kon ze niet weigeren. Maar of ze nou zat te wachten op een hernieuwde kennismaking met die jonge arts? Hij maakte haar erg onrustig. Ze moest oppassen dat ze niet van hem ging dromen. Die dokter zou zich wel tien keer bedenken voor hij aandacht ging besteden aan de dochter van een in ongenade gevallen rechter, die bovendien ook nog zo goed als failliet was.

Ze mocht er niets achter zoeken. Het was logisch dat de broer van Femmy zich zou laten zien. Ze waren uiteindelijk voor hem naar Almelo gekomen.

'Het wordt wel laat in de middag, denk ik,' merkte Femmy nog op.

Ze knikte zwijgend en nam het dienblad van de tafel om naar de kleine salon te gaan. Femmy volgde haar met nog een blad.

'Weet je wat ik gedacht had,' zei Charlotte toen ze aan het ontbijt zaten. 'Waarom ga jij niet met ons mee naar Den Haag? Wat bindt jou aan Almelo, vooral nu met al die trammelant?'

'En als mijn vader terugkomt?' vroeg ze langzaam.

'Nou, dan hoort hij gauw genoeg waar jij bent. Je kunt een berichtje achterlaten op het bureau van je vader, dat is voldoende. Lieve kind, bedenk een ding: hij bekommert zich ook niet om jou, anders liet hij je hier niet alleen zitten. Sluit het huis af, geef de sleutel af bij een notaris. Zijn er hier lopende zaken die maken dat je niet zonder meer kunt vertrekken?'

'Nee, ik word overmorgen verwacht voor een afspraak bij de notaris. Moeder liet een testament achter.'

Charlotte knikte enkel. Dat kon niet veel voorstellen, dacht ze. Er was geen rooie cent. Eloïse voerde een grote staat in Almelo. Ze moest iets van grandeur om zich heen hebben om zich staande te houden, had Charlotte vaak bedacht.

Het was snel bergafwaarts gegaan met die adellijke tak, zowel van moeders- als van vaderszijde. Van hofdame, tot echtgenote van een verlopen dronkenlap en dat allemaal binnen een generatie. Dat had Maria niet voorzien, ook niet kunnen voorzien. Waarom had ze voor een huwelijk met die vele jaren oudere jonkheer gekozen? Destijds konden de kringen waar zij in vertoefde een zware druk uitoefenen op een van hen. Je kon nog zo onconformistisch in het leven staan, daar kon je niet tegenop.

En dochter Eloise was geen sterke persoonlijkheid. Wat had zij ooit meegekregen om uit te groeien tot een vrouw van formaat? Maria had moeite genoeg gehad om overeind te blijven in dat huwelijk met die jonker. Het leven was niet eenvoudig met een dronkenlap van een man, die nog gewelddadig was bovendien.

Ze was binnen enkele jaren een schaduw van de vrouw die ze was geweest. Van die onbezorgde Maria was na een aantal jaren niets meer over. Gelukkig had zij in ieder geval het lef om op te stappen, maar ze was wel geknakt voor haar leven.

Haar dochter had die moed niet gehad, die was blijven zitten in het hoekje waar de slagen vielen.

Lotte had meer ruggengraat, anders had die zich allang een echtgenoot laten aanpraten waar even weinig bijzat als bij haar vader en grootvader. Nu zou de jonge vrouw waarschijnlijk een baan moeten zoeken. Hoe zou ze daarop reageren? Ze was niets gewend. Het was niet onmogelijk dat ze dezelfde domme stap zou zetten die haar moeder had gedaan: ineens met een compleet foute bruidegom tevoorschijn komen.

Een fabrikantenzoon kreeg ze niet meer te pakken. Nee, vaderlief had haar kansen op maatschappelijk aanzien door middel van een goed huwelijk flink bedorven. Dat moest Eloise ergens diep in haar hart deugd doen als ze het zou weten.

Charlotte zag liever dat de jonge vrouw als haar gezelschapsdame meeging naar Den Haag. Ze zou Lotte een bescheiden salaris kunnen betalen. Als ze dat wilde natuurlijk. Ze kon nog onverwacht trots zijn ook, al was er niets om trots op te zijn.

Ze moest maar eens voorzichtig aandringen een dezer dagen, bijvoorbeeld als Lotte gedeprimeerd terugkwam van die notaris. Want die kwam niet opgewekt terug met de mededeling dat er nog onverwacht geld was.

Charlotte zou er alles aan doen om te voorkomen dat de geschiedenis zich voor een derde keer zou herhalen. Ze had het niet kunnen voorkomen bij Eloise, maar ze zou met alle kracht die ze had, proberen Lotte ervan te weerhouden een stap te doen die ze de rest van haar leven zou berouwen, zoals Eloise hem berouwd had.

De jonge dokter kwam even na de middag binnenvallen. Hij begroette zijn zuster en zijn tante en gaf Lotte beleefd een hand. Lotte merkte niet dat hij een te rode blos op zijn wangen had.

Charlotte hoorde aan zijn stem, dat die lichtelijk trilde. Ze werd opmerkzaam. Asse zou toch niet... Femmy had uitgebreid verteld dat Lotte een prachtige vrouw was om te zien en Asse was een man alleen, in een stad die hij niet goed kende. Hij had bovendien de leeftijd om aan een eigen huishouding te denken.

Lotte reikte hem netjes de hand en zweeg. Ze knikte hem toe. Meer niet.

Asse richtte zich meteen naar zijn zuster. Het was duidelijk dat broer en zus aan elkaar hingen en dat tante Charlotte deel uitmaakte van het gezin, en niet werd gezien als een half gehandicapt familielid waarvoor gezorgd moest worden. Dit was een hecht gezin, dacht Lotte bijna jaloers.

'Druk?' vroeg Charlotte belangstellend.

'Gewoon,' meende Asse. 'Vannacht ben ik bij een bevalling geroepen. Die vroedvrouw was veel te laat met hulp halen. Het ging ook niet goed. Het kind is overleden en de moeder is zwaar ziek. Ik ga er straks nog even naartoe.'

Het deed hem echt iets, dacht Lotte verwonderd. Een vroedvrouw bij de bevalling. Dan ging het niet om een familie met geld, maar om een gewone arbeider. De vroedvrouw werd betaald door de ziekenbus.

Hij kwam er zonder aarzelen zijn bed voor uit. Dat had hem vanmorgen zeker commentaar opgeleverd van Van het Zand.

'Doe dat, jongen, doe dat,' merkte Charlotte gemoedelijk op.

Hij accepteerde gretig de koffie die Lotte hem aanbood. Nee, hij had nog niet gegeten sinds de ochtend. Niet aan toegekomen. Ze zou voor hem een boterham klaarmaken, zei ze en liep naar de keuken.

Femmy keek snel even naar haar broer en zag dat hij de jonge vrouw nakeek met een meer dan gewone belangstelling.

Waar denk jij aan, Asse? Ben je een beetje gecharmeerd van die elegante verschijning met haar blauwe ogen en haar ravenzwarte haren? Je zult niet de enige zijn.

Het is niet verstandig, al is het begrijpelijk. Lotte is een beeldschone vrouw. Het mag een wonder zijn dat die enkele jaren terug niet werd verzegd aan een aanvaardbare partij. De fabrikantenzonen in

Twente hadden belangstelling genoeg gehad. Dat had haar tante wel verteld, maar zo iemand was niet hoog genoeg, vond Lottes moeder. Tante Charlotte had zelfs in de trein nog de opmerking gemaakt dat die arrogante opmerkingen van mevrouw Bernards op zijn minst de plank missloegen. De familie had geen nagel meer om aan hun gat te krabben.

Het scheen dat die waarheid nooit tot de rechtersvrouw was doorgedrongen. Lotte had helaas weinig meer te bieden dan haar half adellijke afstamming. Het was een geluk dat Lotte zelf niet al te happig was op een gearrangeerd huwelijk, zoals de rechter die voorstond.

Nee, broerlief, jij bent niet geschikt als echtgenoot voor deze dame. Je hebt hier een drukke baan en verder niets. Toch vind ik dat ze met jou beter af zou zijn, dan met een van die studentjes die straks de grote meneer gaat spelen in de fabriek die pappa en opa hebben opgebouwd.

Deze mooie vrouw is beslist de moeite waard. Maar je kent haar amper en ik zou niet graag zien dat je de teleurstelling van je leven gaat ondervinden door een botte afwijzing. Lotte is ondanks alles een rijkeluisdochter die nooit anders heeft geleerd dan dat alleen het beste goed genoeg is, onverschillig van wat ze zelf te bieden heeft. Die moet toch maar een rijke echtgenoot zoeken, waar ze dan niet al te gelukkig mee wordt, maar dat leven is haar op het lijf geschreven.

Lotte kwam teruglopen met een lichte lunch op een dienblad. Ze wilde net de deur openen toen ze de dokter hoorde zeggen: 'Hebben jullie het haar al verteld?'

'Nee,' zei Femmy meteen. 'Je weet wat vader zei. Wees voorzichtig met die mededeling.'

'Je zult het toch moeten zeggen. Het is beter dat Lotte het nu te horen krijgt van jullie dan dat ze er ineens mee geconfronteerd wordt door derden. En dat gaat gebeuren, daar kun je op wachten.'

Er kwam geen commentaar, merkte ze. Ze stond even stil. Toen opende ze de deur en keek rond. Ze zette het dienblad neer en ging zitten. 'Ik hoorde net een opmerking. Wat moeten jullie mij vertellen?' vroeg ze kalm. 'Ik heb de laatste weken meer dan eens nare mededelingen moeten aanhoren. Er kan er nog wel eentje bij.'

Er viel een stilte. Snelle blikken werden tussen broer en zuster gewisseld. Toen kuchte Asse kort. 'Mijn vader heeft een onderzoek naar jouw vader ingesteld. Dat is je bekend. Hij heeft mogelijkheden als oud-advocaat om zijn vinger achter bepaalde zaken te krijgen en hij kent de wegen die hij moet bewandelen.'

'Waarom?' vroeg ze bevreemd.

Charlotte leunde voorover. 'Lotte, dat was simpelweg nodig. Je vader is als van de aardbodem verdwenen. Je zit hier in een kast van een huis zonder inkomen, je hebt geen vooruitzichten. Er moet duidelijkheid in jouw situatie komen. Het is heel goed mogelijk dat je vandaag of morgen voor een onaangename verrassing komt te staan.'

Ze zweeg bezeerd. Die vraag hield haar dag en nacht bezig. Het kleine kapitaal slonk zienderogen. Over enkele weken was de bodem in zicht en dan?

'Mijn vader heeft ontdekt dat de spaarrekeningen bij de bank leeg gehaald zijn door je vader, al een aantal weken geleden. Zelfs al voor de dood van je moeder,' zei Asse ronduit.

Ze schrok op en werd bleek.

'Het huis zit zwaar onder de hypotheek en is eigendom van de bank. Laat ik het kort en bondig zeggen: je zit compleet op zwart zaad. Er is geen rooie cent meer. Houd er rekening mee dat je binnen een maand op straat staat.'

Asse gebruikte geen verzachtende opmerkingen, maar zei helder en duidelijk hoe de zaken er bij stonden.

'Ik wist dat er niet veel geld was,' haperde ze. 'Maar dat er helemaal niets meer was.' Had haar vader haar glashard laten zitten met alle narigheid en had hij die paar centen, die er nog waren, in eigen zak gestoken om er mee te verdwijnen? Zoiets deed een vader toch niet? Wat moest ze nu?

Charlotte nam haar hand. 'Meisje, wij zijn er ook nog. Je zult altijd een dak boven je hoofd hebben, dat beloof ik je. Dat ben ik je moeder schuldig omdat ik haar jaren geleden niet domweg heb verboden die stompzinnige stap te doen om met je vader te trouwen.'

Femmy knikte heftig.

Asse stond op. 'Ik moet verder,' zei hij rustig. 'Er is nog een aantal visites te maken...'

Hij verdween na een korte knik. Zijn blikken golden het meisje dat ineen gedoken en verslagen op de bank zat.

Lotte hoorde de zware buitendeur langzaam dichtvallen. Het klonk alsof er een compleet leven werd afgesloten...

Twee dagen later zat Lotte tegenover de notaris die het testament van haar moeder opgesteld had. Het dateerde al van jaren terug, zei hij en keek over zijn gouden lorgnet naar de jonge vrouw die tegenover hem aan de tafel zat.

Ze was alleen. Hij had, net als iedereen de geruchten vernomen over haar vader, de rechter. Hij had hem wel eens ontmoet in de herensociëteit van Almelo. Hij mocht de man niet en hij had hem altijd ontweken.

Mevrouw Bernards had ooit een testament laten opmaken, verder had hij geen bemoeienissen met de familie gehad.

'Twee weken geleden heb ik u meegedeeld dat uw moeder de wens had begraven te worden in haar geboorteplaats Den Haag,' zei hij.

Ze knikte lusteloos. Dat is gebeurd, meneer de notaris, dacht ze.

'Er is geen enkele reden om langer te wachten met het openen van het testament. Uw vader is niet aanwezig, maar dat hoeft geen beletsel te zijn.' Het klonk een beetje alsof hij er ergens blij om is, dacht Lotte.

'Juffrouw Bernards, ik kan kort en bondig zijn. Uw moeder laat u niets na. Er zijn geen roerende of onroerende goederen te verdelen. Uw ouders waren in gemeenschap van goederen getrouwd. Er is een voorwaarde: als uw moeder eerder zou overlijden dan haar echtgenoot vervallen de inboedel en alle andere tegoeden aan hem. U kunt geen aanspraak maken op uitbetaling van een kindsportie zolang hij in leven is. Uw moeder is nu overleden. Wat er dus aan meubelen, kleding en persoonlijke bezittingen, zoals juwelen en sieraden zijn, komen uw vader toe.'

'Dat had ik verwacht,' zei ze rustig. 'Was dit gesprek dan nodig geweest?' Ze vroeg het wat bitter. Zo leuk was het niet om tegenover de notaris te zitten en een testament aan te moeten horen dat helemaal geen laatste wil van de overledene bevatte.

De notaris knikte tot haar verwondering en opende het mapje dat voor hem op tafel lag. Hij nam er een brief uit. 'Deze brief moet ik u overhandigen ingeval van overlijden van uw moeder,' zei hij en overhandigde haar de verzegelde enveloppe. 'Uw moeder heeft hem mij onlangs in bewaring gegeven. De datum staat erop.'

Amper een maand geleden, zag ze. Moeder voorvoelde dus toch iets, ze was wel degelijk ziek. Het was geen aanstellerij, zoals vader dacht. Ze heeft sinds die zware aanval, die net geen longontsteking werd, rekening gehouden met een snel einde, al voor die tijd zelfs. Charlotte had gelijk: moeder had het allemaal deksels goed geweten. Ze borg de brief in haar handtas en stond op. Er was weinig meer te zeggen, dacht ze. Ze bedankte de notaris voor zijn snelle afwerking en liep naar de deur.

De notaris bleef zitten en vouwde langzaam de map dicht.

Ze liep zwijgend naar huis. Die merkwaardige brief bevreemdde haar. Dat theatrale gedoe was wel typisch moeder, dacht ze. Een brief na haar overlijden...

Wat had moeder haar te schrijven dat ze niet bij leven kon vertellen? De verhouding was nooit hartelijk geweest tussen hen. Het was ook geen moeder-dochter relatie, dacht Lotte. 'Eloise had geen moederlijke gevoelens,' zei Charlotte al. Ze heeft nooit kinderen willen hebben. Dat had ze ook duidelijk genoeg laten blijken in al die jaren.

Lotte liep langzaam naar huis. Charlotte en Femmy waren op visite bij een bevriend echtpaar in de stad. Lotte had zich erover verbaasd. Die dokter was hier een paar maanden en zelfs zijn familie uit Den Haag had al vrienden in de stad. Lottes ouders hadden het in al die jaren dat ze hier woonden, nog niet zo ver geschopt dat ze vrienden en bekenden hadden in Almelo.

Ach, dat wilden ze ook helemaal niet, dacht Lotte bijna moedeloos. Ze hadden eigenlijk helemaal geen vrienden. Moeder had Charlotte nog gehad, maar met wie had vader een dergelijke band dat die hem kon opvangen? Hij had een eenzaam leven, piekerde ze. Met een vrouw die weinig of niets van hem wilde weten en een sociaal leven dat niets voorstelde. Alle soirees en bijeenkomsten afsjouwen die hem verder konden helpen naar de top van de maatschappij, maar verder? Was die niets en niemand ontziende ambitie het allemaal waard geweest? Wat had het hem uiteindelijk gebracht? Niets...

Ze naderde haar woning en bleef even staan en keek naar het grote witte huis. Een kast van een huis, zwaar onder de hypotheek. Het was van de bank. Hoelang zou het nog duren voor de bank tot verkoop zou overgaan?

Langzaam beklom ze de brede stoep en opende de deur. De stilte kwam haar bijna tegemoet. Ze hing haar mantel aan de kapstok, liep even naar de keuken en schonk zich een kop thee in. Toen liep ze zonder haast naar de kleine salon en ging zitten in de stoel bij de kachel. Het was er nog behaaglijk warm. Lotte had de kachel vol kolen geduwd voor ze vertrok.

Langzaam nam ze haar handtas en haalde er de brief uit. Hij was nog maar een maand oud. Had moeder die vreemde woorden recht willen zetten, die ze toen had geuit en daarna stevig ontkende? 'Hij moet niet naar Den Haag gaan...' Nee moeder, je had gelijk. In Den Haag kende iedereen jou en je moeder nog.

Besluiteloos zat ze met de brief in haar handen. Openmaken of niet? Wat kon moeder haar mee te delen hebben dat ze nog niet wist. Dat er geen rooie cent zou zijn? Dat is al bekend, moeder.

De gekste gedachten vlogen door haar hoofd. Was ze soms een geadopteerd kind? 'Je lijkt niet eens op hen,' had een vriendinnetje lang geleden al eens gezegd. De woorden dansten nu door haar hoofd.

Had moeder haar ooit ergens vandaan gehaald? Welnee, moeder zou het niet in haar hoofd halen om een kind op te nemen dat haar comfortabele leventje van uitgaan en reizen zou beperken. Lotte moest accepteren dat ze een onverwacht en ongewenst kind was.

Ze staarde naar de brief op haar schoot. Het was niet eens een dikke brief, hooguit twee of drie kantjes. Het was te weinig om een levensbiecht te kunnen zijn. Wat zou ze moeten opbiechten? Was ze nou echt nieuwsgierig naar de inhoud?

Ze voelde zich niet lekker met die brief. Moeder had haar min of meer door anderen laten opvoeden, zij ging haar eigen plezierige gang. En na haar dood was er ineens een schrijven dat blijkbaar moest verklaren waarom ze had gehandeld zoals ze had gehandeld. Lotte kreeg de neiging om de brief in de kachel te stoppen. Wat niet weet, deert niet. Ik heb de laatste maanden te veel onthullingen meegekregen. Laat maar.

Maar ineens dacht ze: vooruit, lees hem en beslis dan wat je ermee wilt. Je kunt hem na het lezen alsnog in het vuur gooien.

Met een ruk verbrak ze het zegel en ritste de brief open. Ze zag moeders keurige handschrift op het bekende postpapier.

Langzaam vouwde ze de brief open.

'Het is niet gemakkelijk dit neer te schrijven,' begon het. Was het één grote verontschuldiging? *'Sorry, Lotte dat we je zo vaak alleen lieten, dat we je naar die dure kostschool stuurden, dat we zo aanstuurden op een huwelijk. Wij dachten dat we het goed deden. Pas nu zie ik hoe fout we waren...'*

Kom op Lotte, zo zat je moeder niet in elkaar. Die zag haar fouten niet, die zag alleen maar wat anderen fout deden.

Haar ogen gleden langs de regels. Langzaam las ze de brief. Haar ironie maakte plaats voor iets anders: woede, ontzetting, misschien ook iets van verdriet.

Ze slikte en haar hand omklemde de stoelleuning. Haar gezicht was inwit toen ze het papier liet zakken. Ze kreeg de neiging om een grof woord te zeggen.

Ze leunde achterover in de fauteuil, sloot haar ogen en liet haar gedachten de vrije loop. Een deftige familie, diep neerkijkend op dat ordinaire textielvolk. Daar wilden zij geen omgang mee hebben, dat was ver beneden hun niveau. Ze hadden haar zelfs verboden met een arbeidersvrouw op straat te praten. Zij waren de hoge kringen, de deftigheid, ja, ja. Personeel was er om te commanderen. Moeder was in staat geweest Annie naar de salon te roepen om een lepeltje op te pakken dat van de bijzettafel was gevallen. De elite van het land, daar behoorde zij toe. Stelletje schooiers...

Hoelang ze daar gezeten had wist ze niet, maar ze hoorde ineens de bel. Haar ogen gleden verschrikt naar de klok, bijna vijf uur. Femmy en Charlotte kwamen terug. Nee, ze wilden geen sleutel meenemen, hadden ze gezegd toen ze vertrokken, ze belden gewoon even aan. Lotte zou toch thuis zijn, zolang hield de notaris haar niet bezig... Zij waren echt niet voor vijf uur terug.

Ze stond op en voelde hoe ze trilde. Haar benen waren slap en ze struikelde zelfs even over het haardkleed, maar wist zich in evenwicht te houden. De brief viel op de vloer, ze merkte het maar amper.

Ze liep door de hal alsof ze dronken was en opende de deur. Femmy zag het meteen. Er is er iets voorgevallen, schoot het door haar heen, terwijl ze over de drempel stapte. 'Geen goed bericht bij de notaris?' vroeg ze ronduit nog voor ze in de kleine salon stond.

Lotte knikte met een beweging van het hoofd, draaide zich om en liep de salon weer in. Femmy en Charlotte volgden haar zwijgend en ongerust.

Femmy had zelden iets vernomen over discreet terugtrekken, zou haar broer zeggen. Ronduit, zoals zij was, liep ze regelrecht naar

Lotte die zich liet neervallen in haar stoel en vroeg: 'Wat heeft die notaris jou verteld vanmiddag?'

Lotte zweeg. Haar handen grabbelden naar de brief die half onder de fauteuil was gegleden. Ze pakte hem op en legde hem op haar schoot met de beide handen er bovenop. 'Ik heb al jaren niets begrepen van dat vreemde huwelijk van mijn ouders, maar nu snap ik er helemaal niets meer van.' Het klonk rauw, bijna vijandig.

'Ja kind, je bent niet de enige,' zei Charlotte kalm en ging met enige aarzeling in haar stoel zitten.

'Wist u dat mijn vader zijn vrouw, de jonkvrouw, alleen maar voor de status en het uiterlijke aanzien heeft getrouwd? Ach ja, natuurlijk, dat wisten jullie. Hij was van mening dat hij haar uit de narigheid redde. Zij was uiteindelijk maar de dochter van een verlopen jonkheer, en een del van een hofdame die weggestuurd was van het hof. Zo schijnt hij het haar letterlijk te hebben gezegd. Ze is desondanks met hem getrouwd, nota bene...' kwam het bijna brutaal.

De twee vrouwen bleven stokstijf zitten op hun stoelen. Femmy's mond hing iets open van verbazing.

Charlotte werd wit. Van die opmerkingen was ze niet op de hoogte. Als Eloise die had verteld, zou ze zich nog meer hebben verzet tegen dat huwelijk...

Eloise had niet alles verteld en eerlijk gezegd, dat had Charlotte ook niet verwacht. Door de jaren heen had ze meer dan eens geprobeerd excuses te vinden voor het feit, dat Eloise met die man was getrouwd. Daarna had Charlotte geprobeerd het waarom van dat huwelijk te begrijpen, en ten leste waarom Eloise bleef hangen in dat huwelijk. Nu Lotte haar citeerde uit de laatste brief die Eloise geschreven had, kon ze geen enkel excuus meer bedenken.

17

LOTTE STAK CHARLOTTE INEENS DE BRIEF TOE. 'LEES MAAR, HET IS ME nagelaten via de notaris door je goede vriendin. Ik denk dat je mening over haar wel eens kon veranderen. Schrik niet te erg.' Het klonk cynisch, dacht Charlotte en onwillekeurig strekte ze haar hand uit om de brief in ontvangst te nemen. Lotte dacht er niet eens aan dat Charlotte blind was. Femmy nam hem aarzelend aan toen ze de handen van haar tante zag die voorzichtig werden uitgestoken naar de brief. 'Eerlijk gezegd kan ik me voorstellen dat jullie meteen je boeltje pakken om te vertrekken,' voegde Lotte er aan toe. 'Het is niet fraai wat me meegedeeld wordt door middel van deze brief.' Ze vocht tegen haar tranen. 'Waarom moet dat op deze manier? Ze heeft nooit iets losgelaten in die richting.'

Charlotte knikte voor zich heen. Ze had zich alweer hersteld. Natuurlijk was het niet fraai wat er in die brief stond, anders zou Lotte niet op deze manier gereageerd hebben. Dan had haar moeder het ook niet nodig gevonden een brief bij de notaris te deponeren. Maar waarom meende ze nu nog haar dochter per brief te moeten vertellen wat haar blijkbaar dwars had gezeten, en wat ze bij leven niet kon zeggen.

Wat moest Lotte met die wetenschap over het huwelijk van haar ouders? Eloise had moeten begrijpen dat de ellende achter de gevel van haar huwelijk door haarzelf veroorzaakt was en dat die niet zomaar uitgestort mocht worden over haar dochter. Het was wreed van Eloise en volstrekt overbodig om het meisje daarmee te belasten. Welk kind wilde het slechte huwelijk van zijn ouders onder ogen zien? Charlotte was niet verbaasd over de wanhopige reactie van Lotte op de inhoud van de brief.

Dat huwelijk was toch geen samenleving geweest. 'Ik wil met je trouwen, maar het gaat mij alleen om die titel van je, jonkvrouw.' Wat had Eloise zich daarbij voorgesteld? Ze mocht dan een argeloos meisje zijn dat tamelijk onwetend een huwelijk instapte, maar ze was niet dom. Had ze werkelijk gedacht dat ze van die vlerk een aardige echtgenoot kon maken? Ze zag toch al voor die tijd hoe hij was? Iemand die zijn afkomst zo bruut verloochende kon nooit een prettige persoon zijn.

Ze was in latere jaren net zo'n onbeschofte persoon geworden als haar man. Net als haar moeder, die ook zo veranderde toen ze eenmaal gevangen zat in een huwelijk met een dronkenlap. Wisten die beide vrouwen niet hoe ze anders overeind moesten blijven?

Ze hoorde het briefpapier ritselen en draaide haar gezicht naar Femmy. Die begon de brief te lezen nadat Lotte haar toestemmend had toegeknikt.

Charlotte voelde hoe haar nichtje verstarde. 'Dat kan toch niet waar zijn?' fluisterde Femmy toen ze de brief liet zakken.

Wat kan niet waar zijn? Ze wachtte geduldig af. Femmy zou er zo mee komen.

Gelukkig was zij niet zo argeloos dat ze van elk grof woord schrok. Ja kind, je wordt hier wel geconfronteerd met een stuk van het leven dat normale ouders hun kinderen ten koste van alles zullen willen besparen.

De wanhoop van Eloise moest destijds erg groot zijn geweest of het interesseerde haar in de verste verte niet. Charlotte hoopte ineens dat het om het laatste ging. Dat moest ook wel, anders hield je dat geen kleine dertig jaar vol. Het zou Charlotte niet eens verbazen dat er door de jaren heen geregeld andere vrouwen waren geweest in het leven van de rechter. Dat recht had hij zich ongetwijfeld toegeëigend. Lotte had dat min of meer ook verwacht, dat had ze openlijk gezegd. Ineens schoot het door haar heen: de politie weet inmiddels waar hij is. Zou de rechter ergens bij een of andere vriendin zitten? Schreef Eloise dat nou in die brief? Daar zou niemand echt van opkijken, ook Lotte niet.

Femmy slikte iets weg toen ze de brief had gelezen. Het bleef lange tijd stil, drukkend stil.

'Fraai hè?' vroeg Lotte hees. Het klonk hol en hard in de donkere kamer, waar alleen het lampje brandde dat Femmy had aangeknipt. 'En dat noemde zich de upper ten van het land en voelde zich verheven boven het gewone volk...'

Charlotte kuchte. 'Lieve kind, ze voelen zich niet ver verheven boven anderen, ze voelen zich ver achtergesteld. Je grootmoeder was een dame van stand, ze zakte terug tot het lachertje van Den Haag. Je moeder heeft dat grotendeels meegemaakt en zal ook de nodige praatjes en opmerkingen hebben moeten aanhoren, vooral besmuikt en achter haar rug om. Dat doet pijn; dat is beledigend en dat tast je zelfrespect aan.' Ze wachtte even. 'Wat is er nog meer dat je moeder meent te moeten meedelen in die brief?'

Femmy liet de brief zakken en antwoordde niet meteen. 'Jij kunt daar niets aan doen,' zei ze toen. 'Je hebt nergens om gevraagd.'

Lotte lachte cynisch. 'Ik begin te begrijpen waarom mijn vader gewoon vertrokken is. Wat had hij uiteindelijk ook met mij uit te staan?'

'Kind haal jezelf niet naar beneden, dat doen anderen wel voor je en met het grootste plezier,' suste Charlotte. 'Mag ik weten wat er allemaal meer in die brief staat?'

'Ja, er is meer en nog schokkender ook,' zei Femmy zachtjes. Het klonk zelfs waarschuwend.

'Mijn moeder vond haar vertier ook wel,' merkte Lotte rauw op. 'In die kuuroorden denk ik...' Ze haalde diep adem. 'Mijn vader is mijn vader helemaal niet. Mijn moeder heeft me overgehouden aan een verboden romance, zoals ze keurig schrijft. Laat me toch niet lachen. Ze legde mijn vader een koekoeksei in het nest.'

Er viel een opnieuw een stilte. Charlotte was overbluft. Ze had gedacht dat ze haar vriendin redelijk goed kende. Deze draai aan het levensverhaal had ze nooit verwacht.

'Lotte was een soort van afstraffing,' had Eloise jaren geleden eens gezegd.

'Hoezo afstraffing,' had Charlotte willen weten. 'Het is een schat van een meid lijkt me, en jij stopt haar weg in een internaat...' Maar Eloise had niets willen toelichten.

Charlotte besefte nu pas wat Eloise met die opmerking had willen zeggen. Een afstraffing. Voor je man? En dat over het hoofd van je dochter heen. Of was het een ordinaire wraak?

Waarom stuurde de man Eloise niet weg toen ze thuiskwam met die boodschap. Er was geen betere reden voorhanden om te stoppen met dat belachelijke huwelijk van hen. Waarom deed hij het niet? Moest de schijn voor de buitenwereld opgehouden worden? Het hooggeboren paar met hun enige dochter? De rest werd onder de dikke tapijten geveegd.

'Was je hiervan op de hoogte?' vroeg Lotte toen. Ze voelde zelf de verwijdering die er ineens optrad tussen haar en de twee anderen. Charlotte en moeder kenden elkaar een levenlang, het zouden vriendinnen zijn. Was ze dan niet op de hoogte van datgene wat in deze brief stond?

De oudere vrouw schudde het hoofd. 'Nee Lotte, dit was mij niet bekend. Ik heb altijd geweten dat je moeder niet alles vertelde over haar huwelijk, maar nu begrijp ik dat ze me alleen dat vertelde wat ze kwijt wilde. Ik ben even verbijsterd als jij.'

Femmy sprong overeind. 'Ik heb een borrel nodig.' Ze liep naar de kast en haalde een fles likeur tevoorschijn en schonk ongevraagd drie flinke glazen in. Lotte goot de zoete drank in één teug naar binnen. Charlotte nipte voorzichtig aan de drank en Femmy ging zitten met een diepe zucht.

'Ik begrijp niet waarom dat huwelijk niet werd opgeheven toen Eloise zwanger was van een andere man,' zei Charlotte peinzend. 'Ze hebben nooit een betere reden gehad, geen van beiden.'

Lotte stootte iets van een lach uit, een harde onverzoenlijke lach. 'Geld, wat anders? Dat was de reden waarom mijn moeder bleef. Dat schrijft ze ook. En het ging de rechter om status. Hij was gesteld op het aanzien en een deftige naam en wilde niet het schandaal dat echtscheiding heette. Hij zou het kind opvoeden als het zijne, maar er hing een prijskaartje aan die toestemming.'

Femmy knikte. 'Ze moest de rechtersvrouw blijven spelen. Ze mocht nooit een echtscheiding aanvragen, want dan zou deze geschiedenis naar buiten komen. Hij zou ook zorgen dat ze geen cent alimentatie kreeg en dus had ze geen rooie cent te makken. Hij had haar gevangen.'

'Toch was ze zover dat ze beweerde dat ze waarschijnlijk niet terug kwam, toen ze naar Baden Baden ging. Ze wist ondertussen dat haar man niet meer de almachtige rechter was die haar kon maken en breken,' zei Lotte langzaam.

Haar man, dacht Femmy. Ze praat al niet meer over hem als over haar vader. Ze heeft ook niets om hem gegeven. Dat kon toch ook eigenlijk niet. Hoe is ze toch nog opgegroeid tot deze volwassen en redelijk stabiele vrouw?

Charlotte knikte zwijgend. Ze was ontdaan en zelfs boos. Ze was niet op de hoogte geweest van dit stuk leven van haar jongere vriendin. Ze had medelijden met Lotte die nu werd opgezadeld met een stuk familiegeschiedenis dat haar diep moest grieven. Het sloeg wonden die ze misschien nooit weer te boven kwam.

Dit was zo fout, zo verkeerd. Waarom maakte Eloise dit in vredesnaam bekend? Om de rechter? Zou die man het geheim voor zich houden? Als hij verstandig was zou hij dat doen. Maar hij had tot nu toe weinig blijk gegegeven van gezond verstand.

Wat bezielde die man toch? Ze kende hem niet persoonlijk. Ze had hem jaren geleden een paar keer ontmoet en toen was het een jongeman die er alles voor over had om bij de deftigheid te horen. Hij was blijkbaar nooit over die vreemde wens heen gegroeid. Hij had nooit de eerlijkheid verworven de waarheid onder ogen te zien: hij was een onbeholpen lummel en dat bleef hij zijn leven lang.

Maar alle narigheid kwam op het hoofd van Lotte neer. Geen cent voorhanden, amper een dak boven het hoofd. Als dit huis werd verkocht hield ze er niets aan over, zelfs als de rechter zijn aandeel niet zou opeisen. Het huis was van de bank, dat had Asse eergisteren nog verteld.

Ze wreef zich over het hoofd. Ze moesten overleggen wat er diende te gebeuren. Het meisje mocht er niet aan onderdoor gaan. Desnoods moest er grof geschut bij gehaald worden in de vorm van haar zwager, Asse en Femmy's vader. Die was het wel toevertrouwd om de zaken in betere banen te leiden.

Het was ronduit het beste dat Lotte meeging naar Den Haag. Meneer de rechter mocht zijn eigen sores regelen; hij liet de zaken ook in het honderd lopen door er tussenuit te gaan. Lotte zou niet eens moeten zeggen waar ze was, dat verdiende die man.

Charlotte hief het hoofd op. 'Luister. Ik stel voor dat we met een dag teruggaan naar Den Haag...'

Ze voelde bijna hoe Lotte omhoogschoot en al wilde protesteren. Vastberaden zei ze: 'Jij gaat mee met ons. We sluiten het huis af, zoals we al eerder hebben voorgesteld.'

Femmy knikte instemmend. Maar Lotte schudde het hoofd. 'Nee, ik ga echt niet weg. Ik kan nu niet weg. Het zou verkeerd worden uitgelegd.'

'Waarom? Je gaat toch niet zitten wachten tot je vader terugkomt? Kom nou...' Femmy zweeg. 'Je vader,' zei ze. Hij was helemaal haar vader niet.

Lotte kwam overeind uit haar stoel. 'Ik wil antwoorden op een aantal vragen, daar heb ik recht op. Wie is die rechter Bernards uiteindelijk? Wie is zijn familie? Waarom ging mijn moeder haar boekje te buiten en met wie? Wie is mijn echte vader?'

Ze zwegen. Daar konden ze geen antwoord op geven.

Charlotte wrong haar handen in elkaar. Na een tijdje hief ze het hoofd op. 'Lotte, als je werkelijk een antwoord wilt hebben op die vragen, dan moet je mee gaan naar Den Haag. Mijn zwager, Femmy's vader, kan het antwoord op een aantal van je vragen snel voor je uitzoeken. Niet allemaal. Wie je echte vader is zal een raadsel blijven, vrees ik. Ik snap niet dat je moeder wel het hele verhaal vertelt en niet meedeelt wie je echte vader is.'

Ze kneep even de lippen op elkaar. Waarom vermeldde je dat niet in je brief, Eloise? Of was het een wilde onbezonnen romance te midden van de wanhoop van je leven? Eentje waaraan je de rest van je leven werd herinnerd door de stralend mooie jonge vrouw die je dochter werd...

Femmy knikte heftig. 'Bovendien kun je bij ons tot rust komen. Hier in Almelo heb je niets te zoeken en niets te vinden. Je hebt er amper kennissen...'

Ze hadden gelijk, besefte Lotte. Waarom zou ze hier in dit grote huis blijven? Elke dag kon de bank langskomen om beslag te laten leggen. En de bank zou komen, daar kon ze van op aan.

De rechter was al langer van plan om te verdwijnen, dacht ze koortsig. Waarschijnlijk al vanaf het moment dat hij geschorst was als rechter. Toen had hij blijkbaar beseft dat status en aanzien niet meer aanwezig waren. Dus had hij zijn deftige echtgenote en die opgenomen dochter niet meer nodig. Nu de jonkvrouw was overleden kon hij die opgedrongen dochter gewoon aan de kant schuiven.

Ze voelde iets achter haar ogen branden. Haar keel ging dichtzitten. De klap was hard aangekomen, besefte ze. Dit zou ze zich over lange, lange jaren nog herinneren.

Over lange jaren... Waar zou ze dan zijn? Leefde ze op straat?

Die lerares op de school had die verwende, snobistische rijkeluiskinderen eens uit de doeken gedaan hoe snel je kon afzakken naar de onderkant van de maatschappij; dat gold ook voor rijke en aanzienlijke mensen.

Zij was toen nog een hooghartig, trots meisje met veel kapsones en ze had net als de anderen gedacht dat het grote onzin was. Zoiets overkwam dom volk, maar hen niet. Ze had niet eens gemerkt dat het toen al in haar eigen familie speelde en gespeeld had.

Op wie kon ze terugvallen? Op twee vrouwen die eigenlijk vreemden voor haar waren en toch, ze was dankbaar dat ze gekomen waren. Waar had ze anders naartoe gekund met die brief?

Haar adem stokte en ze voelde de handen van Charlotte om de hare. 'Toe maar, meisje. Je hebt reden om te huilen. Je mag je vader het nodige verwijten en je moeder ook, maar jij hebt nergens om gevraagd.'
Het was gedaan met haar zelfbeheersing en ze begon te huilen in de armen van Charlotte, die haar stevig omklemd hield.

Een uur later was alles weer redelijk normaal, dacht Lotte. De puntjes van de ijsberg zaten weer veilig onder het gladde wateroppervlak dat zelfbeheersing heette. De schok was er nog, maar de ijzeren zelfbeheersing die Lotte kenmerkte had het voor het moment gewonnen.
Ze aten wat en ze overlegden tijdens het eten over de te nemen stappen. Lotte zag in dat het verstandig was om mee te gaan naar Den Haag en had toegestemd om over een paar dagen op reis te gaan.
Vroeg in de avond meldde Asse zich. De jonge dokter merkte meteen dat er iets ingrijpends voorgevallen was. Hij vroeg niets, maar liet zich rustig een kop thee inschenken en praatte wat over neutrale zaken.
Er was spanning in de stad. Er vielen weer ontslagen in de textiel, voor de tweede keer binnen een jaar al, en de lonen waren ook al verlaagd. Men hoopte nog dat het bij een aantal jongelui zonder eigen gezin zou blijven. Maar de onrust was overal voelbaar...
In het hele land was het al enige jaren onrustig en het aantal werklozen groeide schrikbarend hard. De overheid hield vast aan een strak en star beleid en er werd openlijk gezegd dat het daardoor alleen maar erger werd, en de armoede en de werkloosheid nog zouden toenemen.
De spanning die in deze salon heerste was veel erger, dacht hij. Hier was het nodige gebeurd vandaag.
'Vader heeft gebeld,' zei hij toen ineens met een blik naar Femmy. Ze schrokken alle drie op. 'O ja, wat had hij te vertellen?'
Asse keek wat bedenkelijk. 'Het is niet gemakkelijk om dat zomaar

even op tafel te leggen,' mompelde hij. Het was nogal schokkend. 'Het kan niet schokkender zijn dan wat we vanmiddag hebben meegemaakt,' zei Lotte kortaf. 'Dus vertel het maar.' Hij keek op. 'De notaris had toch een verrassing in petto?' Het was zeker geen prettige verrassing, dacht hij toen. 'Vertel eens, jongen,' maande Charlotte. 'Graag iets anders. Geen ontboezemingen meer die het meisje persoonlijk raken.'

'Mijn ouwe heer heeft inlichtingen ingewonnen naar het ontslag van de rechter. Het onderzoek naar hem valt veel groter uit dan men aanvankelijk had verwacht. Oude zaken van een aantal jaren terug, waarin hij verdacht lichte vonnissen heeft geveld, zijn er ondertussen ook bij betrokken. Zijn collega's zijn allemaal ondervraagd naar zijn handel en wandel.'

'En die vertellen wel,' knikte Lotte. 'Hij was niet gezien onder zijn mederechters.'

'Nee,' gaf Asse toe. 'Die collega's hebben gemerkt dat hij meer dan eens een privé-onderhoud had met verdachten, uiteraard rijke en aanzienlijke verdachten. Dat mag helemaal niet.'

'Was hij omkoopbaar?' wilde Lotte weten.

Hij wilde het niet ronduit zeggen en daarom antwoordde hij: 'Dat moet nog worden vastgesteld, maar het lijkt er wel naar. Het ziet er in ieder geval niet goed uit voor hem. Zijn ontslag wegens disfunctioneren is al aanvaard door de Kroon. Normaal zijn ze daar niet zo vlot mee. Meestal weet men het wel zo te draaien dat een rechter in die positie zelf ontslag neemt. Die mogelijkheid is hem ook geboden, maar hij heeft geweigerd zelf ontslag te nemen.' Asse keek naar zijn tante. 'Vader waarschuwde dat de rechter blij mag zijn als het bij ontslag blijft.'

Ze knikten alle drie.

'Ik heb bovendien nog een nare mededeling. De deurwaarder komt een dezer dagen langs. De aankondigingen zijn al op de post gegaan.'

Ze had het al verwacht, zei Lotte. Was zij verplicht het allemaal af te werken of kon zij de deurwaarder verwijzen naar haar vader?

'Hier moet jij je niet mee bemoeien, Lotte,' zei Femmy dringend. 'Laat je vader het maar opknappen.'

'Dat lijkt mij ook. De politie weet waar hij is. De deurwaarder kan hem dus ook bereiken. Ga met ons mee naar Den Haag,' drong Charlotte aan.

Asse keek op. 'Is dat verstandig?'

'Wat denk jij dan?' vroeg Lotte schril. 'Moet ik wachten tot ze me op de stoep neerzetten? Ik heb geen familie die me kan opvangen. Ik kan me meteen melden bij het Leger des Heils.' Ze was een beetje teleurgesteld dat hij zo nuchter en zo bedaard praatte over haar tegenslagen. Ze had meer medeleven verwacht.

'Je hebt ons,' zei Femmy meteen.

Lotte keek haar aan. 'Je bent een fijne meid, maar laten we wel zijn: hoe lang kennen we elkaar?'

Femmy haalde de schouders op. 'Dat doet niet ter zake.'

'Dat ben ik met je eens,' vulde Asse ineens aan. Hij kreeg ineens een kleur. 'Ik heb ook eens nagedacht. Ik heb een oplossing.'

'Bewaar me,' zei Femmy met een grimas. 'Nou komt het.'

'Inderdaad, nou komt het,' zei hij langzaam. Hij staarde naar Lotte en zweeg een tijdlang.

Ze werd onrustig onder zijn blikken.

Charlotte hief het hoofd op, haar blinde ogen gleden in de richting vanwaar ze de stem van haar neef had gehoord. Haar voorhoofd fronste zich en het gezicht werd strak. Asse, zeg niet de woorden die ik denk dat je wilt zeggen, niet nu. Ze heeft vandaag genoeg te verstouwen gehad...

Hij kuchte. 'Ik ben van plan een eigen praktijk te beginnen in deze stad. Dat is beter voor dokter Van het Zand en ook voor mij. Ik heb het hem vanmiddag meegedeeld en hij was er nogal mee in zijn nopjes...'

'Ja, dat geloof ik direct. Hij is die socialist van een dokter mooi kwijt,' zei Femmy. 'Heb jij geld voor een praktijk, jongen?'

Asse antwoordde niet. Hij kende zijn zuster. Die zou meteen de knip trekken om een gedeelte van haar kapitaal in zijn praktijk te stoppen. Dat wilde hij niet.

Charlotte bleef zwijgen, haar gezicht bleef strak, bijna donker. Lotte keek de arts verwonderd aan. Wat had hij voor een oplossing? Wat had zijn praktijk daarmee te maken? Mocht ze zijn assistente worden? Nou, daar had hij wat aan. Ze had geen kaas gegeten van de medische wereld.

'Kort en goed, ik heb een huis op het oog...'

Femmy veerde ineens op. 'Jij wilt dit huis kopen?'

Asse knikte. 'Het is groot genoeg voor een praktijk aan huis. Er hoeft niet eens veel aan verbouwd te worden.'

'Het is niet van mij, het is van de rechter. Hij en mijn moeder waren in gemeenschap van goederen getrouwd en hij had recht op al haar bezittingen als zij eerder mocht overlijden, en dat is gebeurd, zoals je weet,' zei Lotte met schorre stem.

'Je vader zit diep in de schuld, Lotte. Het huis is van de bank.'

Femmy begreep het niet helemaal. 'Nou, daar heeft Lotte toch niets aan, Asse. Dan strijkt de bank de centen op. Daar is Lotte niet mee gediend.'

Asse aarzelde een tijdje, hij leek wat nerveus. 'Lotte kan hier misschien blijven wonen als ik het zou kopen...'

'En jij dan?' vroeg Charlotte ineens. 'Waar wil jij wonen? Drie hoog achter op een zolderkamertje?'

Hij keek even naar zijn tante. Ze had het door waar hij op aan wilde sturen, dacht hij. Je maakte haar niet veel wijs.

'Ook hier,' mompelde hij wat onduidelijk.

'Zo? Hoe had je je dat voorgesteld?'

'Ik had gedacht dat wij misschien konden trouwen...'

Lotte kreeg het gevoel dat ze een kletsnatte handdoek in het gezicht kreeg geslagen. Ze voelde de rugleuning hard in haar schouders. 'Nee,' zei ze hard en zonder enige diplomatie. 'Dat nooit. Mijn grootmoeder trouwde met een man waar ze niets om gaf, gedwongen door de omstandigheden. Mijn moeder stortte zich in een huwelijk met een man die ze minachtte vanaf de eerste dag, min of meer ook door bepaalde omstandigheden. Denk je nou werkelijk dat ik als de derde generatie ook die fout zal maken en mijn heil zal zoeken in een verstandshuwelijk dat geen kans van slagen heeft? Ik zwerf nog liever zonder dak boven mijn hoofd langs 's Heren wegen...'

18

ASSE WAS EEN BEETJE UIT HET VELD GESLAGEN WEGGESCHUIFELD IN DE vallende schemering. Hij had weinig begrepen van de felle reactie en zijn gezicht toonde teleurstelling en onbegrip. Maar toen Femmy hem meegenomen had naar de grote hal en hem een aantal zaken had uitgelegd, had hij begrepen hoe fout en zelfs ongepast zijn opmerking was. 'Dat kon ik toch niet weten,' mompelde hij verslagen.

'Je wordt nooit een diplomaat, jongen,' zei Femmy toen ze hem nakeek. 'Dit was toch wel een heel grote uitglijer, Asse.'

Hij leek zelfs wat kleiner dan anders toen hij met opgetrokken schouders wegslenterde.

Ach, hij had het goed bedoeld, maar hij had geen slechter moment kunnen uitzoeken om met dat voorstel te komen. Femmy had bijna medelijden met hem. Ze had al in Den Haag geweten dat hij behoorlijk van slag was van een jonge vrouw uit Almelo. Hij had het haar verteld. Ze had in de richting gedacht van een fabrikantendochter, want hij had meteen toegegeven dat de jonge vrouw zo goed als onbereikbaar was. 'Veel te deftig voor ons, onterfd patri-ciërsvolk,' had hij wat pijnlijk gegrinnikt. 'De familie had het torenhoog in de bol; dat moest minstens de zoon van een multimiljonair met een dubbele naam worden.'

Maar het had hem pijn gedaan, besefte Femmy. Ze had meteen een hekel gehad aan die onbekende jonge vrouw. Wat verbeeldde ze zich wel?

Het is niet eens vreemd, dacht ze. Lotte is een bloedmooie vrouw met haar zwarte haren en haar helderblauwe ogen. Vreemde combinatie, heel apart. Ze heeft een bepaalde elegantie over zich die, zonder dat ze een woord gezegd heeft, al uitstraalt dat ze van gegoede afkomst is. Wie zou die vader zijn geweest? Een of andere buitenlandse heer? Want het was beslist geen arbeider, dat staat buiten kijf.

Het was dat Lotte een toffe meid was, anders zou Femmy de schouders erover opgehaald hebben. Gegoede afkomst? Een arbeider zou zich doodschamen voor dergelijke gebeurtenissen in zijn familie.

Pas toen Asse zei van plan te zijn dit huis te kopen en dat Lotte er kon blijven wonen, had ze het helemaal begrepen. Ze had willen roepen: 'niet nu, Asse, niet nu. Je maakt de vergissing van je leven.' Maar het was al te laat.

Natuurlijk was de reactie van Lotte begrijpelijk. Die had net een dreun gehad die ze niet verdiend had, piekerde Femmy terwijl ze de deur sloot en even zuchtend bleef staan in de hal. Daar kon een huwelijksaanzoek van een, toch eigenlijk, vreemde vent niet bij.

Alles kwam tegelijk: de maatschappelijke afgang van de rechter, de dood van haar moeder, die rotbrief via de notaris, en de bank die beslag kwam leggen en het ongelukkige aanzoek van Asse.

'Alle slechte dingen bestaan uit drie,' zei het spreekwoord. Nou, het klopte niet. Femmy telde er zo al vijf.

Ze opende de deur naar de kleine salon. Lotte zat zwijgend en met gebogen hoofd in haar leunstoel. Kapot, dacht Femmy, die is kapot voor haar leven. Stel je nou eens voor dat ze hier alleen had gezeten. Je zou er wat van krijgen met zo veel narigheid op je dak.

Ze schonk nog eens koffie in en nam het besluit haar vader te bellen. Ze moest hem het hele verhaal vertellen en uitleggen. Misschien was er juridisch gezien nog iets mogelijk voor Lotte?

Wat dan? De bank stond in haar recht om het huis te verkopen. Daar was weinig tegen te doen. De rechter was al tijdens zijn verplichtingen niet nagekomen, anders kwam de bank niet met deze stap.

En toch, ze moest even vaders stem horen. Even die rustige, bedaarde stem die haar kon kalmeren, en die soms met een paar woorden haar hele kijk op een probleem kon veranderen.

Ze trok zich terug uit de kleine salon en liep naar het kantoortje van de rechter. Daar stond de telefoon.

Ze had net de hoorn van de haak genomen toen ze iets hoorde. Het knarsen van het slot in de voordeur.

Wat was dat? De deurwaarder? Maar die had geen sleutel. Bracht de man de politie mee, op zo'n laat uur? Het liep tegen negen uur in de avond en het was donker.

Met enkele stappen was ze bij de deur naar de hal.

De buitendeur zwaaide open en een donkere figuur kwam binnen. Wie was dat?

'Wat moet dat hier?' kwam het meteen bars. 'Wat loopt hier voor volk rond?' Op hetzelfde moment besefte Femmy wie er in de hal stond. Dat was tegenslag nummer zes, dacht ze bijna laconiek.

'Dat mag ik ook vragen. Wat is dat voor een optreden om in het donker hier binnen te dringen?' beet ze toen woedend terug. Ze snapte best waarom hij op dit uur kwam. Hij wilde niet gezien worden.

'Dit is mijn huis,' zei hij hautain.

'Nou, niet lang meer. Het is van de bank zoals u ongetwijfeld weet, meneer de rechter. Wat komt u doen? Nog meer ellende aanrichten? Uw dochter heeft het al moeilijk genoeg...'

De man werd lijkbleek maar zijn ogen flitsten van woede. 'Wat bazel je, mens. Maak dat je wegkomt, voor ik je eruit laat zetten!'

'Er is er maar één die hier moet maken dat hij wegkomt en dat bent u,' zei een ijzige stem achter Femmy. Lotte had de woordenwisseling gehoord en was naar de hal gekomen.

De rechter keek om en zag Lotte staan. 'Ik moet maken dat ik wegkom? En waarom dan wel? Dit is mijn huis.'

'Ik denk het niet,' zei Charlotte die ook naderbij geschuifeld was. 'Het huis is niet meer van jou, Hendrik,' zei ze kalm.

Hij draaide zich als door een wesp gestoken om. 'Zo, de Haagse kliek heeft Almelo ontdekt,' spotlachte hij. 'Hoe komen jullie hier? Zeker door wijlen mijn geliefde echtgenote bijeen gehaald? Of dacht je dat ik niet wist dat zij contacten onderhield met de familie De Beauhertain?' Zijn gezicht kreeg de bekende sarcastische uitdrukking, zag Lotte. En dan kon hij vlijmscherp en ronduit gemeen zijn. 'Zeker allemaal in touw om die bastaard van mijn vrouw de handen boven het hoofd te houden,' snierde hij. 'Ja, dat was jou niet bekend, juffrouwtje. Die fraaie moeder van je liet zich in die kuuroorden...'

'Hou je mond, Hendrik,' zei Charlotte kil. 'Het is bekend, ook bij Lotte. Alles is bekend bij Lotte, ook jouw leugens over die hoogverheven afkomst van je. Je bent een ordinaire boerenzoon uit Utrecht en dan doe ik je ouders tekort met die opmerking. Je vrouw heeft haar via de notaris ingelicht...'

'Dan snap je ook dat ik met die bastaard niets te maken wil hebben. Ze heeft me geld genoeg gekost. Dat wijf had me uiteindelijk nog te pakken ook met dat wurm...'

Lotte sloot de ogen. De man moest haar van kindsbeen aan gehaat hebben, dacht ze. Nu hield hij zich niet meer in. Hij had begrepen dat alles openbaar was geworden. Waarom zou hij zich dan nog enigszins normaal en fatsoenlijk gedragen. Dat had hij nog nooit gedaan.

Hoe het gebeurde wist Lotte later niet meer, maar ineens klonk een harde klap. Charlotte had, ondanks haar blindheid, de rechter hard in het gezicht geslagen.

Het werd even stil. Hij was verbijsterd, zag ze.

'Jouw vrouw had een goede vrouw voor je kunnen worden, als jij niet zo'n onuitstaanbare hufter was geweest. Je bent in wezen nog steeds dezelfde onbeschofte vlerk die je altijd was, de boerenlummel uit de buurt van Utrecht. Wat heb je ermee bereikt? Je zit financieel aan de grond, je carrière is naar de knoppen, aanzien is er nog nooit geweest. Ja, wij weten ook alles. We hebben het zelfs zwart op wit in een brief.'

Lotte zag haar vader een stap terug doen. In het schrale licht van de hal zag hij er bijna groen uit.

Ze luisterde verwonderd naar de harde verwijten van de blinde vrouw. Daar heb ik niet graag ruzie mee, dacht ze. Die draait er niet omheen. De beide kinderen hebben wel iets meegekregen van het karakter van de Beauhertains.

'Jij moet weten tegen wie je het hebt...' schreeuwde de rechter onbeheerst. Het personeel dook in elkaar als hij zo tekeer ging, Charlotte vertrok geen spier. Die was er niet van onder de indruk, merkte Lotte.

'Tegen wie ik het heb?' vroeg de vrouw kalm. 'O, dat weet ik maar al te goed. Ik heb het tegen een vent die jaren geleden met mijn ouders probeerde aan te pappen, die goedkope leugens vertelde over zijn rijke familie. Als je wilt liegen Hendrik, moet je een goed verhaal hebben en dat is nog steeds niet tot je doorgedrongen. Anders had je jezelf niet zo in de nesten gewerkt. Een foute rechter... Ontslagen door de Kroon. Hoe vaak komt dat voor, denk je? De afgang is compleet voor wat eens een briljante student rechten was.'

'Wat weet jij daarvan, blinde mol.'

Charlotte begon te lachen. 'Nog steeds dezelfde. Als hij het niet meer met woorden kan winnen, begint hij te schelden. Dat noemen wij geestelijke armoede. De meeste arbeiders kennen meer beschaving dan jij.'

'Mijn huis uit!' brulde de rechter.

'Nee, ik ga er niet uit. Het is jouw huis niet meer. Het is van de bank en die verkoopt het aan mijn neef...' Ze kon het niet laten.

'Om de dooie dood niet. Dat gebeurt in der eeuwigheid niet. Ik steek er nog liever de brand in.'

Charlotte draaide zich om en antwoordde niet eens. De man was geen antwoord meer waard, zei haar houding.

De rechter keek haar witheet na, zijn vuisten balden zich. Meteen wendde hij zich naar Lotte en Femmy. 'En jullie, pak je spullen en verdwijn. Jij ook, ik heb je jaren geduld, maar dat is afgelopen.'

'Nee,' zei Lotte kalm. 'U verdwijnt, meneer de rechter. Ik bel de politie als u niet gaat. Ik denk dat ze graag met u willen praten als ik ze vertel dat u hier de boel op stelten komt zetten. Ze hebben nog het een en ander met u te bespreken, heb ik vernomen.'

'Denk jij nou werkelijk...'

'Femmy, bel de politie en zeg dat er hier een man om het huis zwerft die ons bedreigt.'

Femmy liep al naar de deur waarachter zich het kantoor van de rechter bevond. In een dwaze poging haar tegen te houden struikelde de rechter over het zware perzische tapijt dat midden in de hal lag. Hij viel languit op de grond.

Het is bijna symbolisch, dacht Lotte terwijl ze hem onbewogen gadesloeg toen hij probeerde op te staan. Hij ligt letterlijk en figuurlijk languit in het stof.

Femmy wachtte even en keek Lotte vragend aan. Toch bellen?

'Wat kwam je doen?' vroeg Lotte ineens en merkte zelf dat ze de man, die ze als haar vader had gezien, voor het eerst van haar leven met 'jij' en 'jou' aansprak. 'Als je een pak nodig hebt kun je dat meenemen, evenals overhemden en ondergoed. De rest blijft hier. Het behoort de bank toe.'

'Ik neem wat ik nemen wil,' grauwde hij. Zijn gezicht vertrok van woede en het leek even of hij Lotte zou aanvallen.

Op dat moment klonk de heldere klopper op de buitendeur.

Femmy schoot naar de deur en trok hem open in de hoop dat het Asse zou zijn. Maar er stapte een man binnen in een regenjas.

De politie-inspecteur, dacht Lotte. Ze was blij de man te zien.

'Ik dacht dat ik me maar eens moest melden,' zei de man laconiek. 'Ik hoorde dat het hier nogal verhit aan toeging.' Hij wendde zich naar de man die overeind gekrabbeld was en zich afklopte van denkbeeldig vuil. 'Waarom komt u hier stiekem binnensluipen op dit uur van de dag?'

'Ik zal zelf weten wanneer ik thuis kom.'

De politieman in burger glimlachte. 'U bent al bijna veertien dagen spoorloos, althans dat probeert u te zijn. Nu staat u hier op een tijdstip die het voor veel mensen nodig maakt om zo langzamerhand naar bed te gaan. Wat zoekt u hier?'

'Daar hoef ik jou geen uitleg over te geven,' blafte de rechter.

Het onfatsoen dat hij tentoonspreidt, dacht Lotte beschaamd. Was hij altijd zo geweest? Ja, zo was hij altijd geweest. Tegen haar, tegen moeder, tegen het personeel, tegen iedereen die hij minder achtte dan zichzelf, en dat was zowat de hele wereld.

Van beschaving had hij nog nooit gehoord. Hij dacht dat een brutale, hautaine houding beschaafd was. De man had geen notie van omgangsmanieren.

'Nee, dat hoeft u ook niet,' zei de inspecteur kalm. 'Het lijkt mij daarom beter dat wij dit gesprek voortzetten op het bureau. Mag ik u verzoeken mee te komen?'

De man is gewend aan onbeschoftheid, dacht Lotte.

'Jij denkt toch niet dat je mij als een derderangs boef mee kunt nemen naar het bureau?' spotte de rechter. 'Op grond waarvan?'

'We hebben nog heel wat vragen en er is een brief onderweg naar u toe, waarin om opheldering wordt gevraagd. Maar dat gesprek kan nu ook plaatsvinden. U bent nu in de buurt...'

De rechter uitte een verwensing en keek om zich heen.

'Tussen haakjes, er staat een agent voor de deur en ook een voor de achterdeur.' De inspecteur knikte vriendelijk. 'Nee, u bent niet gearresteerd, we willen gewoon praten. Mag ik u verzoeken?'

De rechter wierp nog een minachtende blik naar de twee jonge vrouwen en liep toen naar de deur. 'Ik kom terug,' dreigde hij. Hij ziet eindelijk in dat hij eieren voor zijn geld moest kiezen, dacht Lotte.

De deur werd geopend en een potige agent stapte naar binnen.

De rechter schudde de hand van zijn arm en liep met opgeheven hoofd naar buiten.

De afgang is compleet, dacht Lotte. Is hij nou zo dom om niet te beseffen dat ze hem in de gaten hielden? Hij heeft zo veel uit te leggen. Asse had het nog gezegd: 'ze mogen blij zijn als het bij ontslag blijft.' Blijkbaar zocht men toch nog verder.

Ze moest niet verbaasd opkijken als hij de nacht in de cel moest doorbrengen. Ze gunde het hem, dacht ze ineens. Het zou hem misschien een beetje bescheidener en minder arrogant maken.

Rijke mensen stelen niet en zijn niet crimineel. Maar jij bent niet rijk meer, je bent straatarm...

In het licht van de lantaarn kon ze hem zien gaan met twee agenten naast zich.

De politieman keek vriendelijk naar Lotte. 'Juffrouw, ik begrijp dat dit niet gemakkelijk is voor u. Uw moeder is net overleden en dan de schamele vertoning die uw vader hier ten toon spreidt. Daar zit u niet op te wachten. Maar ik heb wel erger meegemaakt, trekt u het zich niet aan. U hebt wel iets anders aan uw hoofd.'

Ze knikte langzaam, vechtend tegen haar tranen. Ze had van een politieman niet zo'n mededogen verwacht. Hij lichtte zijn hoed even van zijn hoofd en liep toen snel naar buiten. Lotte liet zich op een stoel zakken, naast de trap naar boven. Ze was doodop van alle emoties.

Femmy had al die tijd zwijgend bij de deur naar het kantoor gestaan.

Charlotte kwam bij Lotte zitten op de trap en streek over haar haar.

Lotte knikte en sloot de ogen. De tranen brandden er achter.

'Wat nu?' fluisterde ze. 'Wat moet ik doen?'

'We gaan naar Den Haag,' zei Charlotte vastberaden. 'Je laat dit allemaal achter je en je komt eerst eens tot rust.'

'Ik ben zo blij dat jullie er zijn. Stel je toch eens voor dat ik dit allemaal alleen had moeten ondergaan...'

Tranen rolden over haar wangen.

'Kind, ik beloof je één ding. Het wordt beter. Het wordt veel beter. Volgende week kun je weer lachen,' troostte Charlotte.

'Ik heb medelijden met hem,' zei ze langzaam. 'Hij heeft zijn leven lang gevochten voor aanzien en respect. Hij heeft nooit begrepen dat je zoiets moet verdienen. Hij was maar een gewone jongen, een boerenzoon. Hij had zo trots kunnen zijn en zijn hele familie met hem, met zijn behaalde succes als rechter. Hij had een lichtend voorbeeld kunnen zijn, waarover met het grootste respect zou worden gesproken. In plaats daarvan...' Ze stopte midden in de zin.

'Het is geen schande om uit een arbeidersgezin te stammen, het is een schande als je het niet wilt bekennen,' zei Charlotte.

Ze zwegen alle drie en staarden naar elkaar.

Charlottes gedachten gleden naar de jonge arts, die vanavond gedesillusioneerd weg was gelopen. Arme Asse.

Je bedoelde het goed, maar je koos het verkeerde moment. Het komt wel weer goed, jongen, daar zorg ik wel voor. Maar geef haar de tijd, die heeft ze zo hard nodig. Maak niet de fout die een goede stap lijkt: een echtgenoot die uitkomst brengt in de problemen. Dat is nog nooit gebeurd ondanks alle mooie romantische verhalen in boeken en kranten.

Maria, de grootmoeder, dacht het ook. Het werd een ramp. Een echtgenoot moest uitkomst brengen bij Eloise, die met lege handen stond en meende dat niet aan te kunnen. Het werd een jarenlang gevecht van vernederen en vernederd worden.

Nee, het mag niet nog eens gebeuren. Je bent uitstekend geschikt voor haar, dat is mij duidelijk. Jullie kunnen oprecht van elkaar gaan houden en een goede toekomst tegemoet gaan. Maar nu is het daar niet de tijd voor.

Bouw jij eerst je praktijk maar op, vestig je als arts in deze stad, waar je zo hard nodig bent. Ik ben apetrots op je dat je deze stap hebt gezet. Een dokter die er is voor iedereen.

En daarna komt Lotte bij je, dat beloof ik je. Lotte is ook niet ongevoelig voor je. Dat heb ik allang in de gaten.

Ze weet het nog niet, maar ze heeft nu het ergste gehad. Ze heeft vrienden, ze heeft jou, al weet ze het nog niet.

Het komt allemaal in orde, daar ben ik van overtuigd. Ik zal zorgen dat jij één fout niet maakt, die fout die 'ongeduldig zijn' heet.

'Zo,' zei ze ineens opgewekt. Ze stak haar arm door die van Lotte.

'Nu gaan we koffiedrinken, daar zijn we wel aan toe en we nemen er nog een likeurtje bij ook. En dan wordt het tijd om naar bed te gaan. We hebben drukke dagen voor de boeg.'